Y0-CBT-364

1 동물농장
2 걸리버 여행기
3 좁은 문
4 돈 키호테
5 죄와 벌
6 정글북
7 지킬 박사와 하이드
8 전쟁과 평화
9 지구에서 달까지
10 허클베리 핀의 모험
11 비밀의 화원
12 이상한 나라의 앨리스
13 아큐정전
14 변신
22 피터 팬
23 위대한 개츠비
24 닐스의 이상한 모험
25 오만과 편견
26 로빈슨 크루소
27 홍당무
28 타임머신
내 돈,
내 명예…….
다 어디로
가버렸지?

15 레미제라블
16 어머니
17 오즈의 마법사
18 허풍선이 남작의 모험
19 도련님
20 제인 에어
21 올리버 트위스트
고민하는 파우스트 박사님과 카리스마 넘치는 악마 메피스토펠레스와 함께 환상 여행을 떠나요!
으이그, 재물에 마음을 주지 말라니까.
여행이 끝날 때쯤이면 행복에 대해서 조금은 알게 될까?
논술명작 29
파우스트

아이세움 논술 | 명작 29

파우스트

감수 및 개발 참여

책임 감수

박우현 전 한우리독서문화운동본부 교육원장, 동국대 철학 박사

논술 집필진

김영건 서강대 철학 박사, 계명대 연구교수

문계연 논술 연구 및 집필가, 연세대 윤리교육대학원 석사

박민미 동국대 강사, 독서평설 필자, 동국대 철학 박사 수료

오창희 독서지도사, 논술지도사, 고려대 국어교육대학원 석사

아이세움 논술 | 명작 29

파우스트

원작 요한 볼프강 폰 괴테 | **엮음** 남상욱 | **그림** 아이원 | **감수** 박우현

펴낸날 2006년 8월 25일 초판 1쇄, 2013년 10월 25일 초판 8쇄

펴낸이 김영진

본부장 조은희 | **사업실장** 이영호

편집장 박철주 | **편집 · 진행** 박은식, 박희정, 임지은, 위혜정 | **디자인** 서남이

펴낸곳 (주)미래엔 | **주소** 서울시 서초구 잠원동 41-10

전화 마케팅 02)3475-3843~4 편집 02)3475-3924 | **팩스** 02)541-8249

등록 1950년 11월 1일 제16-67호 | **홈페이지** www.i-seum.com

ISBN 978-89-378-4112-5 74850

ISBN 978-89-378-4116-3 (세트)

· 책값은 뒤표지에 있습니다.

· 파본은 구입처에서 교환해 드리며, 관련 법령에 따라 환불해 드립니다. 다만, 제품 훼손 시 환불이 불가능합니다.

Mirae N 아이세움은 (주)미래엔의 어린이책 브랜드입니다.

아이세움 논술 | 명작 29

파우스트

요한 볼프강 폰 괴테 원작

남상욱 엮음 | 아이원 그림

| 머리말 |

좋은 책 한 권이 열 학원보다 낫습니다

세월이 가도 우리의 가슴에 남아 있는 책이 고전이요, 시간이 흘러도 우리의 머리에 오래 기억되는 작품이 명작입니다. 좋은 책은 읽는 것만으로도 가치가 있습니다. 어렸을 때 감동 깊게 읽은 책들은 세월이 가도 내 몸에 향기로 남습니다.

책의 향기는 그 어떤 향기보다 향기롭습니다.

독서를 한 후에 생기는 느낌은 상당히 중요합니다. 나의 느낌은 나만의 재산입니다. 그 느낌을 말로 표현하거나 글로 써 보면 한 번 더 생각하는 사람이 됩니다. 한 번 더 생각하면 생각이 깊어지고 정확해집니다.

〈아이세움 논술 | 명작〉은 '좋은 책을 한 번 더 읽자' 는 의도에서 만든 것입니다. 책은 읽어야 내 것이 됩니다. 느낌으로 다가오고 생각으로 다가옵니다. 그러나 학년이 올라가면 올라갈

수록 느낌만이 아니라 자신의 생각도 중요해집니다. 나의 생각이 곧 내가 누구인지를 알려 주는 것이기 때문입니다.

어떤 문제에 대해 자신만의 생각을 적절한 이유와 더불어 쓰는 것이 논술입니다. 〈아이세움 논술 | 명작〉은 책을 다 읽은 후에 그와 관련된 것들을 한 번 더 생각해 보는 데 도움을 줍니다. 그리하여 우리가 읽은 명작을 내 것이 되도록 도와 줍니다. 논술 워크북과 가이드북이 그 역할을 할 것입니다.

좋은 책 한 권은 열 학원보다 낫습니다.

쓰기가 싫으면 그냥 재미있는 책만 읽어도 됩니다. 명작을 읽는 것만으로도 훌륭한 공부를 하는 것이니까요. 그러다 어느 순간에 쓰고 싶은 생각이 들면 써 보세요. 생각나는 대로 써도 좋습니다. 쓴다는 사실만으로도 한 단계 발전한 것이니까요.

가슴에 쓰는 글은 나를 위해 쓰는 글이며 종이에 쓰는 글은 역사를 위해 쓰는 글입니다. 글이 역사를 만듭니다. 명작과 더불어 향기를 느끼고 자신의 글과 더불어 생각하는 사람이 되기를 진심으로 바랍니다.

전 한우리독서문화운동본부 교육원장

박우현

명작 읽기의 소중함

열심히 책만 읽기에는 너무 고단한 우리 학생들에게 다시 '논술' 열풍이 불고 있다. 학생들이 스스로 즐겨 그렇게 된 것은 아니지만, 학생들을 위해 결코 나쁜 일이라고만 말할 수는 없을 것이다.

새삼스러운 얘기일 터이지만 좋은 글을 쓸 수 있는 가장 빠른 길은 "많이 읽고(다독多讀) · 많이 쓰고(다작多作) · 많이 생각(다상량多商量)" 하는 삼다(三多)밖에 다른 것이 없다.

먼저 다독이 문제다. 많이 읽는다고 해서 아무 책이나 마구잡이로 읽는 것을 다독이라고 하지는 않는다. 많이 읽되, 좋은 책을 읽을 때 그것이 다독이다. 그렇다면 어떤 책이 좋은 책일까?

우선 고전이라 할 명작에는 사람이 세상을 살면서 알아야 할 온갖 삶의 지혜와 가치가 담겨 있다. 가령 〈지킬 박사와 하이드〉에서는 인간 내면에 혼재해 있는 선과 악의 대립을, 〈동물농장〉

에서는 삶을 한없이 타락시키는 전체주의와 아름다운 삶을 지향하는 인간의 무한한 이상의 끊임없는 갈등과 투쟁에 대한 반추를 해 볼 수 있다. 이런 고전을 재미있게 읽고 생각하는 기회를 갖는 것이 바로 좋은 글을 쓸 수 있는 바탕이다. 문제는 고전이 너무 어렵고 분량이 방대하다는 점이다.

이번에 출간된 〈아이세움 논술 | 명작〉은 원전의 내용을 재구성해 어린 학생들이 쉽게 고전과 친해지도록 만들었다. 지루함을 덜기 위해 캐릭터를 사용해서 그 캐릭터들과 끊임없이 교감하며 끝까지 책을 손에서 놓지 못하게 만든 것도 이 시리즈의 특색이요 장점일 터이다. 책 뒤에 논술을 학습할 수 있도록 논술 워크북과 가이드북을 제공하여 '학습과 논술' 이라는 두 문제를 다 해결할 수 있도록 배려한 점도 주목할 만하다. 어린 학생들이 편안하고 소중한 독서 경험을 하리라 본다.

물론 이 명작선은 완역본이 아니므로 이것만 읽어서는 해당 작품을 제대로 읽었다고 말할 수 없을 것이다. 그러나 훗날 학생들이 성장하여 완역본으로 다시 읽고 올바르게 이해하는 데 큰 도움이 되도록 세심한 배려를 했다.

이 점도 이 시리즈가 귀하고 값진 이유이다.

시인

신경림

| 차 례 |

난 고민 많은
뒤뚱이.
어떻게 하면
행복해질 수 있을까?

나는 똑똑한
번빠리 박사.
아무리 공부를 해도
그건 모르겠다.

PART 1 명작 살펴보기

PART 2 명작 읽기

파우스트와
악마 사이에
무슨 일이 있었을까?
그만 떠들고
파우스트를
만나 보자고!
박테리아
고로케
팬티맨
튜브

PART 1

명작 살펴보기

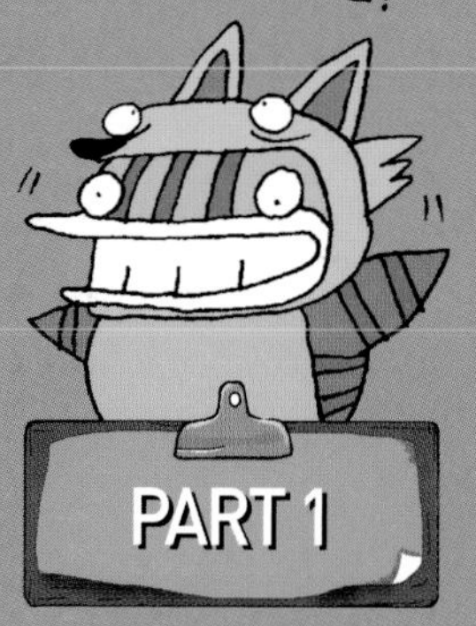
파우스트 박사님을 만나러
독일로 떠나요!
PART 1

명작 살펴보기

영원한 행복은 없는 걸까?

뒤뚱이는 영원한 행복을 얻기 위해 늘 고민했어요.
그래서 공부도 많이 했고 주변 사람들의 존경도 받았지만
결코 행복하지는 않았어요.
어느 날, 그런 뒤뚱이 앞에 악마가 나타났어요.

맛있는 음식이나 많은 돈은 그 순간만 즐겁게 해 줄 뿐이에요.
영원한 행복은 그런 것들과는 다른 것이에요.
파우스트는 진짜 행복을 찾기 위해 노력했어요.
파우스트와 함께 **진정한 행복이 무엇인지 알아봐요!**

어떤 이야기인가요?

행복하려면 어떻게 살아야 할까?

여러분과 함께 읽어 볼 세계 명작은 〈파우스트〉입니다. 유명한 박사인 파우스트는 진정한 행복을 찾기 위해 늘 고민했습니다. 그러다 악마인 메피스토펠레스와 계약을 하고 그의 도움을 받아 여러 가지 모험을 하죠.

하지만 결국에는 그것들이 모두 부질없다는 것을 깨달아요. 그것은 모두 자신만을 위한 행동이었으니까요. 그래서 파우스트는 마지막으로 모든 사람들을 위한 일을 한답니다.

타인의 행복이 곧 나의 행복!

파우스트는 욕망을 채우기 위해 메피스토펠레스의 도움을 받았어요. 아름다운 그레트헨을 몰래 만나다가 그녀의 오빠를 칼로 찔러 죽이기도 하고, 자신의 명예를 위해 책임지지도 못할 지폐를 만들었죠. 결국 파우스트는 다른 사람들을 불행하게 만들었어요.

그러나 그는 곧 모든 사람이 행복해지는 일을 하는 게 자신도 진

정 행복해질 수 있는 길이라는 걸 깨달았어요. 〈파우스트〉를 읽으며 우리는 어떻게 살아야 할지, 곰곰이 생각해 보세요.

〈파우스트〉는
연극, 영화, 오페라, 뮤지컬로도
만들어져 많은 사람들의 사랑을
받고 있어. 파우스트를 주제로 한
교향곡도 있다니까!

한눈에 살펴보기
아, 파우스트여. 너란 인간은 왜 이렇게 고민만 많은 것이냐.
난 바그너. 파우스트 선생님의 수제자야.

Start 발단

독일에서 가장 유명한 박사인 파우스트는 영원한 행복과 진리를 찾기 위해 늘 고민한다. 그런 파우스트에게 악마 메피스토펠레스가 나타나 유혹을 한다. 유혹에 빠진 파우스트는 젊어지는 약을 먹는다.

expansion 전개

젊어진 파우스트는 그레트헨이라는 소녀를 만나 사랑을 한다. 하지만 그 사실을 안 그녀의 오빠와 결투를 벌이다 그를 죽이고 만다. 그 일로 그레트헨은 미쳐버리지만 결국 구원을 받는다.

climax 절정

상심한 파우스트는 한동안 방황하다 황제의 신하가 되기도 하고, 그리스 시대로 가서 절세미인 헬레나와 결혼을 하기도 한다. 하지만 모든 게 부질없다는 걸 깨닫는다.

ending 결말

자유로운 국가를 만들려고 한 파우스트는 결국 늙어 죽는다. 메피스토펠레스는 파우스트의 영혼을 지옥으로 데려가려 하지만 천사들이 파우스트의 영혼을 천국으로 데려간다.

우린 마녀들이야!
즐겁게 노는 게
최고라니까!
난 헬레나야.
역사상 가장
아름다운 여인이지.
이제 접어.
난 마르테.
전쟁 나간 남편을 기다리고 있어.
믿거나 말거나.
난 황제.
가장 훌륭한 사람이당~.
헤헤헤.

난 메피스토펠레스!
파우스트, 너를 꼭
유혹하고 말겠다!
허허.
나, 하느님이 보건데
그건 힘들 것 같구나.
난 그레트헨이야.
정말 아름다운 사랑을
하고 싶어.
난 발렌틴.
그레트헨의 오빠이지.
돌아가신 아버지 대신
여동생을 보호할 거야.

이렇게 읽어 보세요!

사람이 진정으로 살아가야 할 길

파우스트 박사의 이야기는 원래 유럽 지방에 오래 전부터 내려오던 전설이었어요. 파우스트 박사는 악마의 유혹에 빠져 여러 즐거움을 맛보죠. 하지만 죽을 때가 되어서 자신의 행동이 잘못 되었다는 걸 깨달아요. 그러나 이미 악마와의 계약이 이루어졌기 때문에 그의 영혼은 지옥으로 끌려가게 됩니다.

그러나 괴테는 파우스트 박사를 새롭게 창조했어요. 인간이 진정으로 노력한다면 아무리 나쁜 유혹에 빠진다고 하더라도 결국은 구원받을 수 있다고 믿었기 때문이에요.

◀ 악마 메피스토펠레스는 달콤한 속임수로 파우스트를 유혹했습니다.

내가 열심히 해서
잘 살겠다는데
무슨 참견이야?

파우스트는 어떻게 구원받았을까요?

우리는 자신의 행복을 가장 중요하게 생각해요. 시험에서 1등을 하기 바라고, 다른 사람들보다 많은 돈을 벌기 바랍니다. 그런데 여기서 하나 빠트린 게 있어요. 바로 다른 사람들이죠. 내가 1등을 하면 다른 사람은 1등을 못 해서 불행해져요. 내가 돈을 많이 벌면, 그만큼 다른 사람이 돈을 벌지 못하는 거예요. 하지만 사람들은 자신의 행복이 가장 소중하다고 여기기 때문에 다른 사람의 불행을 생각하지 않는답니다.

파우스트도 처음에는 자신의 욕망만을 채우기 바빴죠. 하지만 나중에는 모두를 위한 방법을 찾는답니다. 여러분은 어떻게 행복을 찾고 있나요?

▲ 악마의 유혹에 빠진 파우스트가 어떤 경험을 하게 되는지 지켜보세요.

모두가 함께
잘 살 수 있는 방법을
생각해야지.

잠시 휴식! 당근 주스 한 잔 마시고 〈파우스트〉를 읽어 보세요!

PART 2

명작 읽기

거부할 수 없는
번빠리의 유혹에 빠져 봐!

명작 읽기

1장
파우스트의 고민

하느님과 메피스토펠레스의 내기

모든 것이 평화로운 천국, 오늘도 하느님은 세 명의 대천사大天使와 하늘 정원을 거닐고 있었다. 세 명의 대천사는 세상의 조화로움과 하느님의 영광을 노래했고, 하느님은 따뜻한 미소를 지으며 그 노래를 들었다.

그런데 그 때, 훼방꾼이 나타났다. 바로 악마 메피스토펠레스였다. 세 명의 대천사는 그를 막았지만, 하느님은

대천사(大天使) : 천사의 무리를 이끌고 하느님을 보좌하던 세 명의 천사. 미카엘, 가브리엘, 라파엘.

대천사를 비켜 서게 했다. 메피스토펠레스는 싱긋 웃으며 세 명의 대천사를 지나 하느님에게 다가가 무릎을 꿇었다.

"안녕하세요, 하느님. 저 같은 악마도 이렇게 받아 주시니 정말 감사할 따름입니다."

"무슨 소리. 나는 모든 이들과 함께 지내길 좋아한단다."

메피스토펠레스는 하느님의 말씀을 듣자마자 고개를 번쩍 들고 불만을 쏟아 냈다. 저 아래 땅에 사는 인간들이 자기들만 잘난 줄 알고 까불거린다는 이야기였다. 하느님이 메피스토펠레스의 불만不滿을 듣고 입을 열었다.

"혹시 파우스트란 사람을 아느냐?"

"당연히 알죠. 하느님을 모시지 않는 자 아닙니까. 고민만 잔뜩 안고 사는 놈이죠."

불만(不滿) : 뭔가 마음에 들지 않는 마음이나 그런 마음의 표시.

"그런 파우스트도 곧 내 품으로 올 것이니라."

그 말에 메피스토펠레스는 사악한 미소를 지으며 하느님에게 내기를 걸었다. 자신이 파우스트를 유혹해서 넘어가는지, 넘어가지 않는지를 보자는 것이었다. 세 명의 대천사는 긴장한 표정으로 하느님과 메피스토펠레스를 번갈아 쳐다보았다.

'저 악마惡魔가 무슨 못된 음모를 꾸미려는 거지?'

하지만 하느님은 여전히 따뜻한 눈빛으로 메피스토펠레스를 바라보며 고개를 끄덕였다.

메피스토펠레스는 허락을 받자마자 웃으며 벌떡 일어났다.

"그럼 전 파우스트를 만나러 가겠습니다. 나중에 내기에 진다고 해도 억울해하지 마십시오."

"그러려무나. 혹 네가 내기에 이긴다 해도 다시 찾아오려무나. 난 너희를 미워한 적이 한 번도 없으니."

이제 하느님과
메피스토펠레스의 내기가
시작되는구나!

악마(惡魔) : 사람에게 재앙을 내리거나, 나쁜 일을 하는 마물.

하하하,
내기를 하자고?
좋다. 좋을 대로
해 보려무나.
난 쟤만 보면
밥맛이 없어진다니까!
하느님, 악마와
내기를 하시다니요!
기다려라,
파우스트!

"감사합니다. 그럼, 안녕히 계세요."

멋들어지게 인사를 올리고 메피스토펠레스는 지상으로 내려갔다. 그제야 대천사들은 하느님께 다가가 왜 그런 내기를 했는지 물어 보았다. 하느님은 모두 다 안다는 듯한 표정으로 대천사들을 보더니 입을 열었다.

하느님의 마음을 알 것 같아.
악마의 유혹이 얼마나
허망한지 알려 주기 위해서
그런 내기를 허락한 거지.

"사람은 언제나 편하게만 있으려 한단다. 그러면 진정 내 옆으로 올 사람들은 없어지지. 그래서 악마가 필요한 거란다. 사람을 일깨워 주는 존재로서 말이다."

하느님은 다시 하늘 정원을 거닐기 시작했다. 세 명의 대천사는 하느님의 깊은 뜻을 진작 알아채지 못한 걸 부끄러워하며 하느님의 뒤를 따랐다.

파우스트

보기에는 다른 마을과 다를 것 없는 독일의 어느 마을, 하지만 이 마을은 모든 독일 사람의 관심이 쏠려 있는 곳

이었다. 독일 사람들 모두가 존경하는 파우스트라는 유명한 박사 때문이었다. 파우스트는 철학, 법학, 의학뿐 아니라 신학까지도 공부한, 독일에서 학식이 가장 뛰어난 박사였다. 파우스트 밑에서 공부하려고 찾아오는 학생들만 해도 하루에 수십 명이나 되었다. 그러나 파우스트가 존경받는 이유는 단지 학식學識 때문만은 아니었다.

파우스트의 아버지는 마을에서 가장 뛰어난 의사였다. 마을에 역병이 돌았을 때, 파우스트의 아버지는 자신의 몸을 돌보지 않고 역병을 치료했다. 파우스트도 아버지를 도와서 사람들을 치료했다. 덕분에 큰 피해 없이 역병이 지나갔고, 목숨을 구한 사람들은 파우스트와 그의 아버지를 칭송했다. 그들은 자신의 아이들에게 파우스트 같은 사람이 되라고 가르쳤다.

독일은 교육 수준이
높은 나라였어.
그래서 여러 학문의
중심지가 되었지.
명작

학식(學識) : 학문을 바탕으로 사물을 올바르게 판단할 수 있는 능력.

하지만 정작 파우스트는 불행했다. 자신이 알고 있는 것들은 하나도 쓸모 없다고 생각했다. 처음 세상의 지식들을 하나씩 습득할 때는 즐거웠다. 그러던 어느 날, 오랜 공부를 마치고 자신의 방을 둘러보았을 때 파우스트는 절망絶望하고 말았다.

파우스트의 서재는 한 마디로 엉망이었다. 곰팡이가 슬고 낡아빠진 책더미는 천장까지 가득 차 있었고 유리병들과 상자들은 온 사방에 어지럽게 널려 있었다. 게다가 작은 창문으로 비치는 달빛도 채색된 유리 때문에 침울해 보였다. 그 유리에 비친 파우스트의 얼굴은 흰 머리에 주름살이 가득한 늙은이의 모습이었다. 자신의 얼굴을 멍하니 지켜보던 파우스트는 문득 인생에 회의가 들었다.

절망(絶望) : 모든 희망이 없어진 상태.

'혹시, 내가 잘못 살아온 게 아닐까?'

한 번 그런 생각이 들자, 계속 생각들이 꼬리에 꼬리를 물었다.

'지금까지 내가 배운 건 뭐지? 모두 쓸모 없는 것들 아닐까? 그저 옛날부터 내려온 것들을 아는 게 무슨 소용이 있을까? 정작 난 내가 살고 있는 이 세상과 떨어져서 살고 있지 않는가.'

환한 달빛에 더욱 아름답게 빛나는 대자연을 보자, 그런 생각은 더없이 간절했다.

'그래, 내가 살고 있는 세상은 저렇게 아름다운 자연이야. 하지만 이 곳을 좀 봐! 이미 죽어 버린 사람들과 동물의 뼈다귀, 화석만이 가득하잖아. 그리고 실험할 때마다 피어오르는 매캐한 연기와 곰팡이 냄새가 날 숨막히게 해. 난 도대체 지금까지 뭘 하고 살아온 거지?'

무조건 외우기만 하면
당연히 재미가 없는 거야.
이 세상을 위해 어떻게
쓸지 생각을 해야지.

파우스트는 스스로가 한심했다. 그리고 불쌍했다.

파우스트
바보~!
내가 그 동안
배우고 익힌 지식이
무슨 소용이 있단 말인가!
난 인생을 헛살았어!
맞아!

지금까지 살았던 삶이 모두 헛된 것이라는 생각이 파우스트를 계속 괴롭혔다. 바로 그 때부터였다. 파우스트가 불행해진 것은. 그리고 학문이 아닌 다른 것에 열중하게 된 것도.

기독교 국가에서는
예수님이 부활한 걸
축하하기 위해
부활절 축제를 열지.

오늘도 파우스트는 자신의 골방 서재에 틀어박혀 있었다. 부활절 전날이어서 모든 사람들이 축제를 준비하느라 분주했다. 하지만 그런 축제는 파우스트와는 아무런 관계가 없었다. 파우스트는 한숨을 쉬다 우연히 책장에 꽂힌 한 권의 책에 눈길이 머물렀다. '지은이 노스트라다무스'라는 금빛 글씨가 유난히 빛나는 책이었는데, 거기에서 이상한 기운이 감돌았다. 파우스트는 그 책을 꺼내 펼쳤다. 온갖 문양의 부적이 그려진 페이지를 넘기다가 '대우주의 부적'이란 부분에서 파우스트의 눈길이

노스트라다무스는
지구 종말을 예언한
프랑스의 예언자야.

멈추었다. 그 부적에는 자연의 순환이 정교하게 그려져 있었다. 하지만 그 규모가 광대해서 도저히 다 알 수가 없었다. 파우스트는 부적을 물끄러미 보면서 한숨을 내쉬었다. 아름다운 것을 보고도 어찌할 수 없을 때 나오는 한숨이었다.

파우스트는 다음 장을 넘겼다. 그 곳에는 '지령의 부적'이 있었다. 부적에서 느껴지는 기운이 파우스트를 자극했다. 어떤 고난도 두려워하지 않고 행복을 추구하는 용감한 기운이 느껴졌다. 파우스트는 망설이지 않고 뭔가를 외우기 시작했다. 그러자 갑자기 이상한 일이 일어났다. 바람도 불지 않았는데 등불이 위태롭게 흔들리더니 꺼졌고 천장에는 구름이 생겨났다. 이 광경光景을 지켜보며 파우스트는 더욱 흥분했다.

파우스트가
마법을 쓰려는 거야?
그걸로 뭘 하려는 거지?

'도대체 무슨 일이 일어나는 거지?'

광경(光景) : 벌어진 일의 형편과 모양.

그랬다. 파우스트는 마법을 익힌 것이다. 파우스트는 마법에 빠져들었다. 자연과 함께 뛰어노는 정령精靈들을 동경한 탓이었다. 이 세계의 내밀한 힘을 알고자 하는 목적도 있었다. 열심히 공부하는 파우스트의 성품 탓에 그의 마법 실력은 하루가 다르게 발전했다.

구름이 걷히면서 서서히 지령의 모습이 나타났다. 하지만 지령의 모습은 파우스트가 생각했던 것과는 많이 달랐다. 어찌나 흉측한지 파우스트는 자신도 모르게 고개를 돌렸다. 그러자 지령은 근엄한 표정으로 파우스트를 나무랐다.

"네가 나를 간절히 찾아서 이렇게 왔는데, 어찌 나를 외면하느냐? 내가 두려운 것이냐? 넌 그렇게도 겁 많은 인간이란 말이냐, 파우스트?"

그 말에 파우스트는 다시 마음을 굳히고 지령을 똑

'지령'은 땅의 정령을 말해.
에휴, 지령은 참 무섭게 생겼구나.
호수나 새의 정령은
예쁘게 생겼을 것 같은데…….

정령(精靈) : 산이나 나무, 또는 물 등의 무생물 따위에 붙어 있다고 믿던 혼령.

바로 쳐다보았다.

"겁을 먹다니? 난 파우스트다. 너와 대등한 존재, 신과 가장 닮은 인간, 파우스트다!"

그러자 지령은 불쌍하다는 표정으로 파우스트를 바라보았다.

"넌 나와도 닮지 않았도다."

지령은 사라졌다. 파우스트는 충격에 휩싸였다.

'닮지 않았다니! 지금까지 신과 가장 가까운 인간이라고 스스로 자부하지 않았던가. 그런데 지령과도 닮지 않았다니. 그렇다면 나는 도대체 무엇이란 말인가. 그저 벌레와 같단 말인가?'

파우스트가 그런 고민을 하고 있을 때 갑자기 문을 두드리는 소리가 들렸다. 파우스트는 인상을 쓰며 문 쪽으로 다가갔다.

'또 그 귀찮은 놈이겠지?'

문을 열자, 제자인 바그너가 서 있었다.

"선생님, 안녕하세요. 비극悲劇을 읽으시던 중인가 보네요. 정말 멋있습니다. 저도 빨리 그런 실력을 가져야 할 텐데요."

"그래, 노력하면 언젠가 되겠지."

"사실은 고민이 있어서 찾아왔습니다. 공부를 한다고 제가 과연 선현들의 생각을 다 알 수 있을까요. 인생은 너무도 짧잖아요. 전 여러 선현들의 생각을 다 알기도 전에 쓰러질 것 같습니다."

"그런 게 뭐가 중요한가? 종이에 쓰인 글자를 읽는다고 진리에 대한 갈증이 풀리는 게 아냐. 자네 영혼에서 샘솟는 진리를 깨달아야지."

바그너는 머리를 긁적이며 대답했다.

"죄송하지만 저는 과거 선현들의 생각을 알고 우리가 그것을 얼마나 발전시켰는지 알아보는 게

비극(悲劇) : 인생의 불행이나 슬픔을 제재로 불행한 결말로 끝맺는 극 형식.

좋습니다."

파우스트는 남몰래 한숨을 쉬었다.

"그래, 열심히 노력하게나. 그러면 언젠가는 길이 보이겠지. 미안한데, 지금은 내가 너무 피곤해서 그러니 다음에 얘기하세나."

"아, 그러셨군요. 죄송합니다. 쉬세요."

정령들은
자연과 가깝기 때문에
사람이 많은 곳에는
나타나지 않는대.

파우스트가 문을 닫으려 하자, 바그너가 다급히 말을 덧붙였다.

"저기, 내일 다시 한두 가지 질문을 드려도 될까요?"

파우스트는 힘없이 고개를 끄덕이고는 문을 닫았다. 바그너의 발소리가 멀어지자 파우스트는 욕을 내뱉었다.

"바보 같은 놈! 하찮은 것을 보면서도 좋다고 헤벌쭉한 꼴이라니. 아, 정령들과 함께하는 이 곳에 저런 세속적인 놈의 목소리가 울려 퍼지다니."

파우스트는 지령을 만난 순간을 다시 떠올려 보았다.

그러자 자신이 너무 부끄러웠다. 그렇게 보고자 했으면서도 막상 나타나자 공포에 질려 혼비백산魂飛魄散한 꼴이라니. 게다가 자신과 닮지 않았다는 지령의 말이 계속 귓가에 맴돌았다. 파우스트는 귀를 막고 고개를 숙였다. 하지만 그 말은 더욱 더 또렷하게 다가왔다.

'넌 나와도 닮지 않았도다.'

파우스트는 워낙 자부심이 강한 성격이어서 한번 생긴 모멸감을 떨치지 못하고 몹시 괴로워했다.

파우스트처럼
자존심이 강한 사람은
작은 일에도 상처를
잘 받지.

아침 해가 떠오를 때까지 파우스트는 고민에 빠져 있었다. 내리쬐는 햇빛이 느껴지자 파우스트는 고개를 들어 창 밖을 바라보았다. 뭔가를 결심決心한 표정이었다. 결연한 발걸음으로 실험 도구가 있는

혼비백산(魂飛魄散) : 몹시 놀라 어찌할 바를 모름.
결심(決心) : 뭔가를 하기로 마음을 굳게 먹음.

탁자 쪽으로 걸어간 파우스트는 갈색 액체가 든 플라스크를 집어 들었다. 플라스크에는 큰 글씨로 '위험!' 이라고 쓰여 있었다. 파우스트는 그 플라스크를 들고 찬장으로 가서 수정 술잔을 집었다. 그리고 갈색 액체를 술잔에 붓고는 플라스크를 놓아 버렸다. '팍' 하는 소리와 함께 플라스크는 산산조각이 났다. 파우스트는 술잔을 손에 든 채 나직이 읊조렸다.

"나는 이제 먼 곳으로 여행을 떠나련다. 삶은 너무도 숭고해서 나 같은 벌레에게는 어울리지 않아. 지금까지 나를 즐겁게 해 주었던 술잔아, 이제 나를 데려가 다오."

파우스트는 자살을 하려는 것이었다.

파우스트가 술잔을 입으로 가져가자, 갑자기 종소리가 울려 퍼졌다. 마치 천상에서 울리는 것 같은 맑은 종소리였다. 파우스트는 순간 행동을 멈췄다. 종소리와 함께 천사들의 합창이 들려왔다.

하느님이 부활하신 것을 축복하는 노랫소리는 장엄하

파우스트,
당신은 아직
죽으면 안 돼요.
아, 나는 감히
어리석은 짓을
하려 했구나!
오, 하느님!

게, 그러면서도 따뜻하게 파우스트의 마음으로 스며들었다. 이미 신앙을 버린 파우스트였지만, 그가 어렸을 때 교회에서 들었던 노랫소리가 다시금 울려 퍼지자 자신도 모르는 사이 눈물이 흘렀다. 천진했던 어린 시절이 떠올라 가슴이 북받쳐 오른 것이다. 게다가 그 노래는 부활한 하느님을 찬양讚揚하는 노래였다. 그 노래를 듣자, 파우스트는 마치 자신이 부활하는 듯한 느낌을 받았다.

파우스트는 술잔을 내려놓았다. 그리고 무릎을 꿇고 기도를 올렸다.

하느님이 파우스트를 다시 살게 하신 것이다.

찬양(讚揚) : 훌륭함을 기리어 드러냄.

2장
부활절에 만난 악마

많은 사람들이 거리를 활보하는 부활절 축제가 시작되었다. 직공들은 낮부터 술 마실 곳을 찾아다녔고, 하녀들은 친구들과 만나 즐거운 시간을 보낼 생각에 가슴 설레였다. 학생들과 여염집 처녀들은 서로 적당히 떨어져 걸으며 눈치만 보고 있었고, 거지들은 호재好材를 만나 사람들을 붙잡고 열심히 구걸했다. 군인들은 신나게 노래를 부르며 오랜만에 받은 휴가를 만끽했다. 어느 모로 보나 정말 축제의 거리다웠다.

호재(好材) : 좋은 일이 일어날 수 있는 조건.

그런데 그 즐거운 거리에 왠지 어울리지 않는 두 사람이 걷고 있었다. 나이가 많은 쪽은 온화한 표정表情으로 사람들을 둘러보았고 나이가 어린 쪽은 시끄러운 축제가 탐탁지 않은지 불만족스런 표정이었다. 바로 파우스트와 바그너였다.

"자네는 축제가 마음에 들지 않는 게로군."

"전 이런 천박한 축제가 싫습니다. 선생님이 아니었다면 아마 오늘도 책을 보고 있었을걸요."

"얼마나 좋은가. 이들은 부활절을 통해 다시 부활한걸세. 답답한 방과 일터에서 벗어나 밝은 햇빛을 쬐며 말이야. 이 활기찬 사람들 좀 보게나. 이게 바로 진정한 천국이지."

오늘 아침 파우스트가 겪은 일을 알리 없는 바그너는 그의 말을 이해하지 못하고 고개를 갸우뚱거렸다. 그 때, 보리수 아래서 흥겨운 노랫소

표정(表情) : 마음 속의 감정이나 정서가 얼굴에 나타나는 것.

리가 들렸다. 파우스트는 그 곳으로 발걸음을 옮겼다.

농부들이 노래를 부르며 춤을 추고 있었다. 진정으로 즐거워하는 그들의 모습을 보며 파우스트도 그 곳에 끼어 춤추고 싶었다. 춤을 추던 농부 중 가장 늙은 농부가 파우스트를 보고 말을 걸었다.

"파우스트 선생님?"

그 소리를 들은 사람들은 모두 춤과 노래를 멈추고 인사를 했다. 늙은 농부는 술잔을 들고 와, 파우스트에게 정중히 건넸다.

"이렇게 미천한 것들이 노는 데까지 오시다니요. 정말 감사합니다. 올해 만든 술입니다. 선생님 입맛에 맞을진 모르겠지만 성의誠意를 봐서 한잔하십시오."

파우스트는 기꺼이 술잔을 받아 시원하게 들이켰다.

"무척 맛있군요. 이렇게 좋은 술을 주다니 정말 감사합니다."

성의(誠意) : 정성스러운 마음.

늙은 농부는 손을 내저었다.

"이런 걸 갖고 감사라뇨? 선생님의 아버님과 선생님께서 하신 일에 비하면 새발의 피입죠. 마을에 역병이 돌았을 때 몸을 사리지 않고 저희에게 약을 만들어 주지 않으셨습니까."

바그너처럼 이렇게 다른 사람 덕분에 덩달아 대접을 받는다는 것을 보고 '원님 덕에 나팔 분다.' 라고 하지.

다른 농부들도 모두 고개를 끄덕였다. 바그너는 자신이 칭찬을 들은 듯 우쭐했다. 하지만 정작 파우스트의 얼굴은 굳어졌다. 농부들의 배웅을 받으며 집으로 돌아가는 길에 파우스트는 다시 생각에 잠겼다.

'그래. 그 땐 선조들의 지혜를 빌려 약을 만들었지. 하지만 그 약은 너무 독했어. 그 약 때문에 죽은 사람도 있지 않았던가.'

바그너는 파우스트의 눈치를 살피며 걸어갔다. 집에 다다랐을 때였다. 웬 검은 개 한 마리가 맴을 돌며 천천히 파우스트 쪽으로 다가왔다. 파우스트는 왠지 꺼림칙한 기분이 들었다.

"이보게, 저기 검은 개가 보이는가? 왠지 저 맴을 도는 모습이 마법의 올가미 같은데……."

바그너는 개를 보더니 코웃음을 쳤다.

"선생님, 피곤하신가 보군요. 그냥 개일 뿐인데요."

"아니야, 뭔가 이상한 기분이 들어."

평범해 보이는 개가
왠지 꺼림칙하다?
잠시 후, 이 개가 무슨 일을
벌일 거야. 이런 걸
'복선'이라고 하지.

훈련을 잘 받은 개 같았다. 파우스트가 걸음을 멈추면 멈추고, 눈길을 주면 명령이라도 내리길 기다리는 듯 파우스트를 바라보았다. 파우스트는 어떤 묘한 기운에 이끌려 개를 데리고 집으로 향했다.

악마와의 첫 만남

집으로 돌아온 파우스트는 개와 함께 서재로 갔다. 개는 파우스트의 서재로 들어서자 갑자기 짖어 댔다.

"짖지 마. 이제부터 성서를 번역해야 하니까."

그러자 개는 마치 말을 알아들은 듯 짖던 걸 멈췄다. 파우스트는 자리에 앉아 성서聖書를 펼쳤다.

"태초에 말씀이 있었노라. 아니야, 말씀이란 건 그 의미가 정확치 않아. 단지 말뿐이라니. 그렇다면, 태초에 뜻이 있었노라. 아니야. 이것도 뭔가 약해. 그래, 오히려 힘이란 말이 더 어울릴지도 모르겠군. 태초에 힘이 있었노라. 아냐, 아냐."

파우스트가 읽은
이 부분은 창세기 부분이야.
하느님이 세상을 창조하는
과정이 적혀 있지.

파우스트는 종이를 구겼다. 잠시 고민하던 파우스트는 이내 기쁜 표정으로 종이를 꺼내 다시 쓰기 시작했다. 그러고는 낭송하듯 읽었다.

"태초에 행위가 있었노라. 그래, 이게 가장 적당해. 정령의 도움인가? 이런 생각이 번뜩 들다니."

그 말을 들은 개가 갑자기 으르렁거렸다. 파우

성서(聖書) : 기독교에서 하느님의 성스러운 말을 쓴 책.

스트는 자신의 기분을 망쳐 놓은 개를 노려보았다. 그런데 무슨 조화造化인지 연기가 피어오르더니 개의 덩치가 커지는 게 아닌가. 파우스트는 깜짝 놀랐다.

물, 불, 바람, 흙!
옛날 사람들은 이것들을
이 세계를 구성하는 네 가지
원소라고 생각했어.

"이런! 내가 도깨비를 데리고 왔구나."

파우스트는 그 개를 물리치기 위해 주문을 외웠다. 불, 물, 바람, 흙. 이 네 원소를 맡고 있는 정령을 불러 낸 것이다.

"살라만더여, 불태워라! 운데네여, 물 속에 빠뜨려 버려라! 질페여, 질풍을 일으켜라! 놈이여, 땅을 갈라라!"

그러자 각각의 정령들이 나와서 개를 공격했다. 하지만 개는 해를 입지 않고 계속 커졌다. 그러자 파우스트는 자신의 책상에 있던 부적을 들었다. 하느님을 가리키는 부적이었다.

조화(造化) : 사람의 힘으로는 어떻게 된 것인지 알 수 없을 만큼 야릇하거나 신통한 일.

난 불이다!
난 물!
아, 정령들이
못살게 구는구나!
파우스트가 이런 마법도
부릴 줄 알다니!
난 흙이야!
난 바람!

"어디 이걸 보고도 네 놈이 버틸 수 있나 보자! 어서 썩 정체를 드러내라!"

개도 괴로워하는 표정이었다. 개 주변으로 안개가 퍼지기 시작하더니 그 안개 속에서 여행旅行하는 학생의 모습을 한 남자가 나왔다. 남자는 뻔뻔스러운 표정으로 코를 싸매 쥐었다.

네 정령의
공격을 받고도 멀쩡하다니.
대단한 도깨비인가 본데?

"아유, 연기야. 갑자기 무슨 일이람. 부르셨나요?"

그의 능청맞은 연기에 파우스트도 피식 웃고 말았다.

"개가 사실은 학생이었다? 네 이름이 무엇이냐?"

"이름이라뇨. 그 질문은 선생님과 어울리지 않는군요. 언제나 내면적이고 본질적인 것만을 추구하시는 분이 그런 하찮은 걸 물으시다니요."

"하긴, 네가 말하지 않아도 알 것 같구나. 넌 파리의

여행(旅行) : 일정 기간 동안 다른 고장이나 다른 나라에 가는 일.

신, 파괴자, 사기꾼이 아니냐!"

"그건 너무 심한데요? 전 메피스토펠레스라고 합니다."

학생의 정체正體는 바로 하느님과 내기를 한 악마, 메피스토펠레스였다. 메피스토펠레스는 괜히 하품을 했다.

"오늘 많은 이야기를 하고 싶지만 너무 피곤하군요. 이제 그만 가 봐도 될까요?"

"맘대로 하게나."

"저기, 그런데 문제가 있답니다. 저것 좀 떼 주시면 안 될까요? 저게 있으면 나갈 수 없거든요."

파리는 더러움의 상징이기 때문에 악마는 '파리의 신'이라고도 불렸어.

파우스트는 메피스토펠레스가 가리킨 곳을 바라보았다. 문 위에 오각형 모양의 별이 붙어 있었다.

"저것 때문에 못 나간다고? 그럼 들어올 때는 어떻게 들어왔지?"

정체(正體) : 본래의 모습.

“저길 잘 보시면요. 한쪽 모서리가 약간 벌어져 있거든요. 그래서 들어올 수 있었죠. 하지만 나갈 수는 없답니다.”

과연 오른쪽 모서리가 살짝 벌어져 있는 게 보였다. 메피스토펠레스가 곤란해하자 파우스트는 오히려 힘이 났다. 그런 우연偶然이 자신에게 악마를 손에 넣을 기회를 주다니.

너무 위험한
계약이야, 파우스트!
악마와 계약이라니!

“그래? 그럼 어쩔 수 없군. 나와 계약을 하게나. 그럼 나갈 수 있게 해 주겠네.”

“좀 쉬었다가 다시 와서 하면 안 될까요?”

“지금 나보고 악마를 믿으란 말인가. 그건 안 될 말이지.”

메피스토펠레스는 어쩔 수 없다는 표정을 짓더니 책상 위로 냉큼 올라갔다.

“좋습니다. 이왕 이렇게 된 거, 선생님께 재밌는 걸 보

우연(偶然) : 뜻밖에 저절로 된 일.

여 드리죠."

"그래? 어떤 것 말인가. 나는 웬만한 게 아니면 재미있어하지 않는다네."

"저한테 한 시간만 주시면, 선생님이 평생 겪은 즐거움보다 훨씬 큰 즐거움을 드리죠. 그만큼 제 힘은 대단하답니다."

메피스토펠레스는 정령들을 불러들였다. 여러 아름다운 정령들이 노래를 부르며 춤을 추었다. 평생 한 번도 본 적 없는 화려한 광경에 파우스트는 그저 멍해질 뿐이었다. 좋은 향기香氣가 콧등을 스치고 지나갔다. 정령의 감미로운 목소리에 파우스트의 눈은 서서히 감겼다. 결국 파우스트는 잠이 들고 말았다.

파우스트가 잠들자, 메피스토펠레스는 모든 정령을 거둬들였다. 곤히 잠이 든 파우스트를 보고 메피스토펠레스는 사악한 미소를 지었다.

향기(香氣): 기분 좋은 냄새.

사각
사각
잘 자요. 파우스트 선생님! 내일 또 보자고요. 케케케.
드르렁, 쿨쿨.

“편히 주무시지요, 선생님. 내일 봅시다.”

메피스토펠레스가 주문을 외우자, 쥐들이 나와서 벽에 걸린 별을 긁어 댔다. 별이 없어지자 메피스토펠레스는 경쾌한 발걸음으로 나갔다.

시간이 흐른 후, 파우스트는 눈을 떴다. 메피스토펠레스도 정령도 모두 없어진 걸 깨닫자 파우스트는 마치 꿈을 꾼 기분이었다.

3장
메피스토펠레스와의 계약

그 때, 문을 두드리는 소리가 들렸다. 바그너라고 생각한 파우스트는 귀찮은 표정을 지으며 일어났다.

"누구요?"

"접니다. 메피스토펠레스요."

파우스트는 황급히 문을 열었다. 그 곳에는 고상한 귀공자 차림을 한 메피스토펠레스가 있었다. 지난번과는 다른 모습에 파우스트는 아무 말도 하지 못했다. 메피스토펠레스는 옷자랑을 늘어놓았다.

메피스토펠레스가
돌아왔군.
이번에는 무슨 음모를
꾸미고 있을까?

"어때요? 어울리나요? 선생님께 예의를 갖추기

위해 좀 차려 입었습죠."

메피스토펠레스는 마치 자기 집처럼 자유롭게 서재書齋를 돌아다녔다. 그러고는 책장에 있는 먼지 가득한 책을 한 권 빼내 들더니 혀를 끌끌 찼다.

"이런 고리타분한 게 재밌습니까? 앞으로 저와 함께 다니시죠. 정말 재미있는 걸 보여 드릴 테니! 온갖 금은보화, 이 세상 최고의 미녀, 지상에서 누릴 수 있는 최고의 명예를 모두 드리죠. 선생님의 충실한 종이 되어서요."

파우스트는 고개를 설레설레 저었다. 이미 파우스트는 그런 게 부질없다는 걸 잘 알고 있었다. 현세의 욕망을 채우는 것도 중요하지만, 인생의 본질을 깨닫고 싶은 생각이 더 강했다. 그런 파우스트의 생각을 알아챈 메피스토펠레스가 손짓을 하자, 정령들이 나와서 파우스트를 유혹하는 춤과 노래를 불렀다. 정령들의 황홀한 몸짓과 노래는 파우스트의 정신을 혼미하게 만들었다.

서재(書齋) : 책을 갖추어 두고, 책을 읽거나 글을 쓰는 방.

악마는 사람의 가장 약한
부분을 공격하지.
메피스토펠레스도 파우스트가
뭘 고민하는지 알고
있기 때문에 유혹하려는 거야.

"어떻습니까, 제 종들의 솜씨가? 정말 깜찍하죠? 당신이 세상과 담을 쌓고 힘들어하는 걸 보다못해 이렇게 나와서 재롱을 피우는군요. 하지만 이런 정령들의 화려함도 제 힘에 비하면 너무도 미약微弱할 따름입니다. 저와 계약을 맺는다면 당신의 충실한 종이 되어 이 세상의 즐거움을 모두 맛보게 해 드리죠."

하지만 파우스트는 여전히 의심이 들었다.

"그럼, 나는 너에게 뭘 해 줘야 하지?"

"헤헤, 아직 한참 남은 미래의 일을 무엇 때문에 미리 걱정하십니까?"

"악마는 이기주의자 아닌가. 남 좋은 일만 해 줄 리 없지."

"별로 어려운 건 아닙죠."

미약(微弱) : 보잘 것 없는 것. 미미하고 약함.

메피스토펠레스는 손을 비비며 파우스트의 주위를 맴돌았다.

"대신 지상에서는 제가 종 노릇을 할 테니, 저 세상에서는 선생님이 제 종 노릇을 해 주십시오."

'저승에서 악마의 종 노릇을 하라니!'

하지만 파우스트는 오히려 안도하는 표정이었다.

"단지 그뿐인가? 그거라면 문제 없지."

아직 이승의 문제도 다 알지 못해 고뇌하는 파우스트에게 저승의 문제는 신경 쓸 가치도 없는 먼 이야기였다. 그렇기에 이승에서의 고민이 메피스토펠레스로 인해 풀린다면, 있는지 없는지도 모르는 저승에서 그의 종 노릇을 하는 것쯤은 문제가 되지 않을 것 같았다. 오히려 파우스트가 궁금한 것은 메피스토펠레스가 자신이 원하는 모든 것을 이루어 줄 만한 능력이 있는가였다. 파우스트는 메피스토펠레스에게 물었다.

파우스트는
정말 인생의 본질이
무엇인지 알고 싶어 하는군.
악마와 손을
잡고서라도 말이야.

"정말 내가 원하는 모든 걸 해 줄 능력이 있는가? 매일 먹어도 질리지 않는 음식이 있는가? 신이 가질 수 있는 힘과 명예를 나에게 줄 수 있단 말인가? 시간이 지나면 지날수록 더욱 푸르러지는 나무를 내 정원에 심을 수 있단 말인가?"

아무리 맛있는 음식도
매일 먹으면 질려. 푸른 나무도
언젠간 시들고 말지. 파우스트는
영원히 지속될 힘을
찾고 있는 거야.

"겨우 그 정도의 일이라면 제가 굳이 나설 필요도 없겠군요. 더 어려운 건 없나요? 정말 제가 쩔쩔맬 정도의 일이요."

메피스토펠레스가 자신만만하게 말하자, 파우스트는 오기가 생겼다.

"좋다. 그렇다면 계약을 하자. 네가 보여 주는 그 모든 즐거움을 난 경험하겠다. 그러다 내가 정말로 행복해서 '시간이여, 멈춰라! 이 순간은 참으로 아름답구나!' 라고 외친다면 너는 주저하지 말고 내 영혼을 가져가라."

"정말이시죠? 고명하신 선생님께서 한 입으로 두 말을 하시진 않겠죠?"

"물론이다."

그러자 메피스토펠레스는 품에서 계약서를 꺼내 파우스트에게 건넸다.

"자, 그럼 여기 서명署名을 해 주시죠."

"날 믿지 못하는 건가?"

"아뇨, 믿죠. 믿습니다. 하지만 마지막 순간에 말을 번복하는 인간들을 너무 많이 봐서요. 어쩔 수 없이 이렇게 계약서를 작성한답니다. 선생님께서 정말 약속을 지키실 거라면 계약서에 서명하는 것쯤이야 쉬운 일이 아니겠습니까."

파우스트는 자신의 책상으로 성큼 걸어가 펜을 들었다. 하지만 메피스토펠레스는 딱하다는 듯 고개를 저었다.

"선생님, 이 계약서에는 잉크로 서명하는 게 아무 효력이 없답니다."

"그럼 어쩌란 말인가?"

서명(署名) : 문서에 쓰는 자신의 이름.

"선생님의 몸 속에 흐르는 붉고 뜨거운 액체로 서명하시죠."

"피 말인가?"

"악마와의 계약은 원래 그렇게 행해진답니다."

파우스트는 메피스토펠레스를 노려보며 편지 봉투를 자르는 작은 칼을 들었다. 그 칼로 손가락을 살짝 찌르자, 붉은 피가 한 방울 솟아 나왔다. 파우스트는 손가락을 들어 서명하는 곳에 꾹 눌렀다. 메피스토펠레스는 만족스러운 표정으로 계약서를 한번 들여다보고는 다시 집어넣었다. 그제야 메피스토펠레스는 만족스러운 얼굴로 파우스트 앞에 무릎을 꿇었다.

"자, 주인님. 원하시는 게 무엇인가요? 뭐든지 말씀하시죠."

파우스트는 잠시 고민하다 입을 열었다.

"이 세상의 모든 진리眞理를 한 번에 통하는 진짜 진리

진리(眞理) : 참된 도리. 바른 이치.

계약서에
서명만 하시면
선생님께서 원하는 모든 것을
다 이루어 드리겠습니다.
좋아!
자, 이제 만족하나?

를 알고 싶다. 신의 진리 말이야."

메피스토펠레스는 파우스트가 알아차리지 못하게 한숨을 푹 쉬었다. 그러고는 일어나서 파우스트를 유혹했다.

"아니, 왜 그런 지루한 걸 알고 싶어 하시죠? 그건 하늘 위 높은 분들만을 위한 거라고요. 그분들은 빛입니다. 저는 어둠이고요. 하지만 인간은 낮의 빛과 밤의 어둠을 모두 가지고 있지 않습니까? 인간들은 절대 알 수 없는 것. 그게 바로 신의 진리란 놈입니다. 차라리 연애를 하시는 게 어떨까요? 진정 아름다운 여자와의 연애, 그것이야말로 세상을 다 가지는 길이죠."

"그렇다면 내가 지금까지 한 건 뭐란 말이지? 난 그걸 알기 위해 평생을 바쳤단 말일세."

"보세요, 주인님. 그건 그것대로 내버려 두시고 지금부터 인생을 즐기시면 되는 거라고요. 지나온 시간 때문에 남은 시간까지 버린다는 건 너무 바보 같은 짓이잖아요."

메피스토펠레스의 달콤한 말에 파우스트의 마음은 흔들렸다. 사실, 파우스트 역시 인생을 즐기고 싶었지만 지금까지 걸어온 학문의 길을 무던이 걸어온 것뿐이었다. 하지만 막상 악마의 유혹을 받고 보니 그 모든 걸 포기해도 괜찮을 것 같았다.

"그럼, 어떻게 하면 되지?"

"일단 여길 좀 벗어나죠. 여긴 곰팡내 때문에 숨쉬기도 힘드네요. 제가 좋은 곳으로 안내하겠습니다."

메피스토펠레스는 외투를 펼쳐 파우스트와 자신을 감쌌다. 외투는 조금씩 줄어들다가 허공에서 사라졌다.

누군들 놀고 싶지 않겠어?
결국 파우스트도 악마의
유혹에 넘어간 거야!

젊음을 되찾은 파우스트

독일 라이프치히. 출판出版업으로 유명한 곳이자 유서 깊은 라이프치히 대학이 있는 곳이다. 그렇기에 라이프치히는 대학생들의 학구열로 늘 들끓고 있었다. 하지만 열심히 하는 학생이 있

출판(出版): 저작물을 책으로 만들어 세상에 내놓는 것.

으면 놀기만 하는 학생도 있는 법. 지하 술집은 오늘도 놀기 좋아하는 대학생들의 발길이 끊이지 않았다. 뿌연 담배 연기와 술에 취한 학생들의 노랫소리가 술집을 꽉 채우고 있었다.

그런 술집에 파우스트와 메피스토펠레스가 들어섰다. 학생들의 시선이 한꺼번에 이방인에게 쏠렸다. 그들의 행색을 본 학생들이 수군거렸다.

"에이, 늙은이들 아니야? 술맛 떨어지게……."

"어디서 온 뜨내기들인데 옷이 저 모양이야? 완전 촌스러운데."

"돈푼이나 있으려나? 술값 좀 뒤집어 씌워야겠어. 어수룩해 보이는 게 딱인데."

"그런데 저것들 정체가 도대체 뭐야? 야, 네가 가서 좀 알아 봐."

그런 수군거림과 관계 없이 메피스토펠레스는 어색해하는 파우스트를 데리고 한쪽 자리로 갔다. 그 자리에는 이미 여러 학생들이 모여 맥주를 마시고 있었다. 메피스

이렇게
다른 사람을 무시하고
차별하다니. 하긴, 불량 학생이니
이렇게 술만 마시고
있는 것이겠지.
POP
CORN

토펠레스는 그들의 맥주잔을 들고 시원하게 들이켰다.

"야, 맥주 맛 좋군요. 이렇게 좋은 술을 마셨으니 답으로 노래라도 한 곡 불러 드려야 하지 않을까요?"

학생들 중 몇몇은 당황했지만, 나이 많은 축들은 메피스토펠레스의 행동을 재미있다는 듯 바라보았다. 그 중 가장 나이가 많은 사람이 외쳤다.

"좋아요. 한 곡 불러 보시죠. 대신 노래가 마음에 들지 않으면 여기 술값은 모두 당신이 내는 걸로 합시다."

그러자 다른 학생들도 박수를 치며 환호했다. 메피스토펠레스는 전혀 당황하지 않았다.

"좋죠. 아마 마음에 드실 겁니다. 스페인 최신 유행곡이거든요."

메피스토펠레스는 목을 가다듬더니만 노래를 부르기 시작했다.

옛날 옛적에 어느 임금님이
커다란 벼룩 한 마리를 길렀다네.
어찌나 예뻐했던지
벼룩에게 옷도 입히고 십자가 장식도 달았다네.
그 모습은 정말로 위풍당당!
그 벼룩은 재상으로 임명이 되고
벼룩의 형제 자매들도 높은 벼슬을 받았다네.

벼룩 노래에 사람들은 모두 웃음을 터뜨렸다. 그리고 그 흥겨운 멜로디를 모두 따라 부르기 시작했다.

그러자 고통스러운 건 궁중의 높으신 분들.
왕비마마까지 벼룩에 물어뜯겼지만,
잡아 죽이지도 못 하고 그저 상처만 긁을 뿐이네.
우리야, 벼룩이 물기만 한다면
당장 으깨 죽일 터인데!

술집의 모두가 술잔을 들고 소리쳤다.

우리야, 벼룩이 물기만 한다면
당장 으깨 죽일 터인데!

큰 박수와 환호성이 이어졌다. 누군가는 '자유 만세! 술 만세!' 라고 외치며 술을 벌컥 들이켰다. 메피스토펠레스는 답례의 인사를 했다.

"이렇게 기뻐해 주시니 감사합니다. 제가 최고급 술로 한턱 내겠습니다."

메피스토펠레스는 송곳으로 탁자 가장자리에 구멍을 냈다. 그러자 라인 지방 포도주, 샴페인, 프랑스산 포도주, 토카이어 포도주 등 최고급 술들이 구멍에서 새어 나왔다. 학생들은 메피스토펠레스를 의심할 틈도 없이 그저 좋은 술을 마신다는 기쁨에 구멍에 달라붙어 술을 퍼마셨

이게 악마의 마법인가?
단지 구멍을 뚫은 것만으로
이렇게 술이 흘러 넘치다니.

다. 그 동안 메피스토펠레스는 멍한 표정으로 학생들을 바라보는 파우스트에게 다가갔다.

"어떻습니까? 이게 요즘의 학생들이죠. 선생님처럼 학문에 매달리기보다는 즐거움을 추구追求할 뿐이죠. 다들 즐거워 보이지 않습니까?"

하지만 파우스트는 고개를 설레설레 흔들었다.

"추악할 뿐이야. 그만 떠나고 싶네."

그 때, 술이 조금 바닥에 흘러내렸다. 그러자 갑자기 불길이 솟아올랐다. 놀란 학생들은 이리저리 도망치기에 바빴다. 메피스토펠레스가 급히 주문을 외우자, 다행히 불길은 사그라졌다. 그 모습을 본 학생들은 메피스토펠레스와 파우스트를 둘러쌌다.

"이 마법사 놈들이 어디서 잔재주를 피워!"

"당장 혼쭐을 내자고!"

그러자 메피스토펠레스는 다시 주문을 외웠다. 학생들

추구(追求) : 목적한 바를 이루려고 노력함.

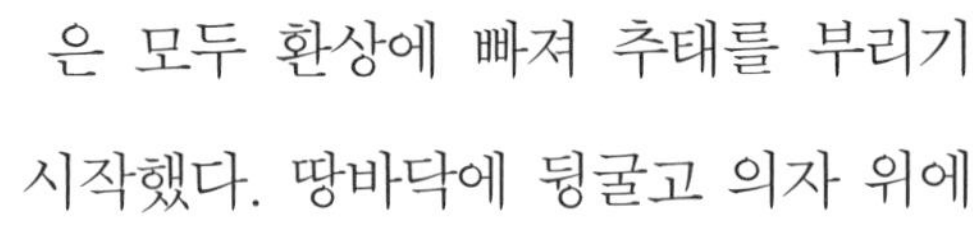

이런 학생들이 나중에
어떻게 될지는 안 봐도 뻔해.
분명히 집에서 빈둥거리겠지.
이렇게 잠만 자면서 말이야.
Zzz

은 모두 환상에 빠져 추태를 부리기 시작했다. 땅바닥에 뒹굴고 의자 위에 올라 장군처럼 호령하고 다른 사람의 코를 잡고 포도송이처럼 따려고 하는 등 몹시 꼴불견이었다. 메피스토펠레스는 화난 표정으로 그들을 바라보았다.

"퍼마실 때는 가만히 있더니만 적반하장賊反荷杖도 유분수지!"

파우스트와 메피스토펠레스가 사라지고 나서야 학생들은 환상에서 깨어났다. 그들은 스스로의 모습이 부끄러워 도망가기 바빴다.

이어서 파우스트와 메피스토펠레스가 도착한 곳은 마녀가 사는 오두막이었다. 마녀는 어디에 갔는지 보이지 않고, 집사인 원숭이가 와서 둘을 맞았다. 시종인 짐승들

적반하장(賊反荷杖) : 잘못한 사람이 도리어 잘한 사람에게 화를 내는 경우.

보셨죠? 이게 요즘
청년들이랍니다!
암울해.
이제 그만 여기를
떠나고 싶네.
WANTED!
$10000

은 집안일을 하고 있었고, 벽난로에 걸려 있는 커다란 놋쇠 솥에는 걸쭉한 거품을 내며 무언가 부글부글 끓어오르고 있었다.

원숭이는 많은 작품에서
악마의 하인으로 나와.
<오즈의 마법사>에도 날개 달린
원숭이가 나오지.

"어서 오시죠."

"주인은 어딜 갔지?"

"잔칫집에 잠깐 가셨습니다."

메피스토펠레스는 자연스럽게 외투를 벗어 원숭이에게 건넸다. 원숭이는 외투를 받아 들고 옷걸이 쪽으로 갔다. 원숭이가 사라지자 파우스트는 허리를 숙이고 구역질을 했다. 마녀의 오두막 풍경이 참을 수 없이 흉측했던 것이다. 메피스토펠레스는 그 모습을 보고 혀를 찼다.

"아니, 이런 정겨운 풍경을 보고 구역질이라뇨. 너무하시네요."

"꼭 이런 곳으로 데리고 와야 했느냐? 네가 그 물약을 만들 수는 없느냐?"

"물론 만들 수 있죠. 물약을 만드는 방법을 가르쳐 준 게 전데요. 하지만 물약을 만드는 게 생각보다 시간이 오래 걸리거든요. 귀찮아서 말이죠. 그래서 필요할 때마다 이 할망구한테 얻는답니다."

그들이 말하는 물약이란 바로 젊음을 되찾아 주는 약이었다. 메피스토펠레스는 파우스트의 열정을 되살리기 위해서 가장 먼저 할 일은 젊음을 되찾아 주는 거라고 생각했다. 그래서 자신의 제자인 마녀에게 데려 온 것이다.

파우스트는 마녀의 오두막을 둘러보다 마법의 거울에 시선을 빼앗겼다. 마법의 거울에는 그리스 시대의 복장을 한 여인이 거리를 돌아다니고 있었다. 그 여인의 아름다움은 지상의 미사여구美辭麗句를 모두 붙인다 해도 제대로 묘사할 수 없었다. 그건 오히려 그 아름다움을 훼손하는 짓이었다. 그만큼 그 여인은 아름다웠다. 파우스트의 신경은 온통 그 여인에게 쏠렸다. 다른 짐승들도 그 여인을

미사여구(美辭麗句) : 아름다운 말로 꾸민 듣기 좋은 글귀.

헬레나 때문에 터진 전쟁이
그 유명한 트로이 전쟁이야.
트로이의 왕자 파리스가 스파르타의
왕비 헬레나의 미모에 반했고, 둘은
트로이로 사랑의 도피를 했단다.
그 일로 전쟁이 일어났지.

보고는 기쁨의 괴성을 질렀다.

그 여인은 바로 헬레나였다. 두 나라가 그녀의 미모 때문에 전쟁을 일으킬 정도의 미모를 가진 여인, 역사상 가장 아름다운 여인이었다.

원숭이들의 시선이 거울에 팔린 사이, 놋쇠 솥 안의 액체가 끓어 넘쳤다. 불길이 굴뚝 밖까지 치솟자 굴뚝 쪽에서 무서운 고함이 들렸다. 그제야 모두 정신을 차리고 위를 바라보았다. 굴뚝에서 누군가 내려왔다. 온몸이 그슬리고 검댕이 묻은 마녀였다. 마녀가 잔칫집에서 돌아와 굴뚝을 타고 내려오는데, 마침 불꽃이 치솟아 그 꼴이 된 것이었다. 잔뜩 화가 난 마녀는 계속 소리를 질러 대며 짐승들을 노려보았다. 그 때 마녀의 눈에 파우스트와 메피스토펠레스가 들어왔다. 하지만 마녀는 흥분한 상태라 스승 메피스토펠레스를 알아보지 못하고 국자부터 손에 들었다.

너희들은
누구냐!
썩 꺼져 버려!
아니, 이 할망구가
스승인 나를
몰라보다니.
정말 괴상하게
생긴 마녀로구나!

와우~!
마녀와 악마가 붙었다!
누가 이길까?
거북선

"너희들은 또 뭐야? 뭘 노리고 기어들어온 거야? 어서 썩 꺼져!"

마녀가 솥에 국자를 넣었다 빼 바닥에 휙 뿌리자, 거센 불꽃이 타올랐다. 놀란 짐승들은 이리저리 피하기에 바빴다.

그러나 메피스토펠레스는 불꽃을 두려워하지 않고 앞으로 나섰다. 불꽃은 메피스토펠레스의 몸에 닿자 꺼졌다. 그 모습을 보고 마녀는 당황했다. 이윽고 메피스토펠레스는 온갖 집기什器를 깨부수기 시작했다.

"감히 주인이자 스승인 날 몰라본단 말이지? 내가 아무리 옷을 좀 바꿔 입었기로서니! 그런 눈으로 어떻게 마녀 생활을 한다는 게냐?"

그제야 메피스토펠레스를 알아본 마녀는 나이에 맞지 않는 애교를 부렸다.

집기(什器): 살림살이에 쓰는 온갖 기구.

승리는 메피스토펠레스의 것!
마녀 좀 봐, 애교 부리기에
바쁘잖아. 애교를 부리는 마녀라니!
두 눈 뜨고 보기 힘든걸!

"어머, 주인님 아니세요? 너무 오랜만이에요. 그런데 요즘 피부 관리하시나 봐요. 너무 젊어 보여서 못 알아봤잖아요. 옷도 최신 유행이네요."

우쭐해진 메피스토펠레스는 곧 화를 풀고 젊음을 되찾는 약을 구하러 왔다고 말했다. 마녀는 얼른 다이아몬드로 장식이 된 순금純金 호리병을 가지고 와 알랑거렸다.

"최고급입죠. 드시면 약효가 바로 나타날 겁니다."

파우스트가 그 병을 받아 뚜껑을 열자, 불길이 조금 일었다. 하지만 젊음을 되찾는다는 생각에 파우스트는 망설이지 않고 약을 마셨다. 불길이 파우스트의 속으로 들어가 온몸을

킥킥, 악마도
칭찬에는 약한가 봐.
메피스토펠레스가 한결
부드러워졌어.

순금(純金) : 불순물이 섞이지 않은 순수한 황금.

이제,
내 뜻대로 되겠구나!
슈아아아
오, 내가
다시 젊어졌어.

뜨겁게 만들었다. 그러자 조금 전 거울 속의 여인을 보고 싶다는 마음이 더욱 강하게 일어났다.

세월의 흐름은
아무도 피해갈 수
없는 법인데, 세월을 거스르고
다시 젊어지다니!
세상에 이런 일이!

이윽고 파우스트의 몸에 변화가 일어나기 시작했다. 흰 머리는 사라지고 얼굴을 덮고 있던 주름이 없어졌다. 굽은 등이 곧게 펴지고 온 몸에 혈색이 감돌았다. 파우스트가 다시 젊어진 것이다!

메피스토펠레스는 만족스러운 미소를 띤 채 그 모습을 바라보더니 파우스트의 손을 잡고 밖으로 나섰다. 파우스트는 거울 속 여인을 다시 보고 싶어서 자꾸 뒤를 돌아보았다. 하지만 메피스토펠레스가 힘껏 잡아끄는 바람에 끌려갈 수밖에 없었다. 한편, 메피스토펠레스는 즐거워서 소리라도 지르고 싶은 심정이었다.

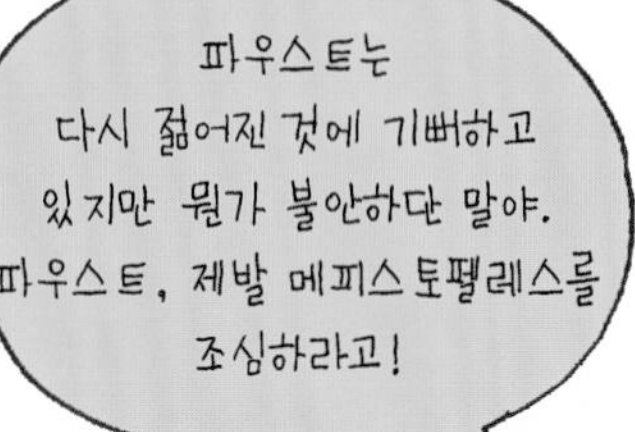

파우스트는
다시 젊어진 것에 기뻐하고
있지만 뭔가 불안하단 말야.
파우스트, 제발 메피스토펠레스를
조심하라고!

'다 됐어! 이젠 내가 뭐라고 하지 않아도 스스로 지옥에 떨어져 버릴걸?'

거리로 나서는 메피스토펠레스의 얼굴에 사악한 웃음이 번졌다.

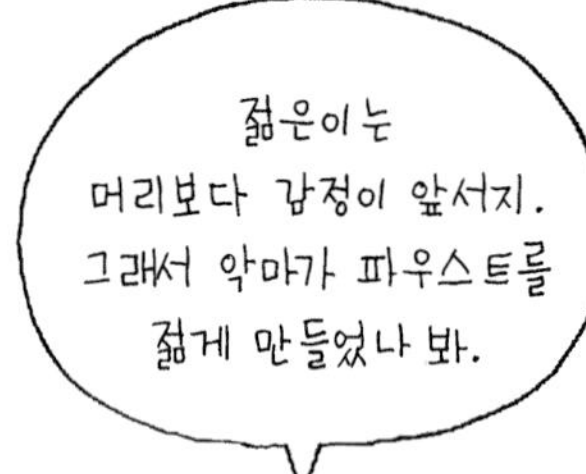

4장
사랑에 빠진 파우스트

젊어진 파우스트와 메피스토펠레스는 화창한 한낮의 거리를 거닐고 있었다. 파우스트의 눈에는 모든 것이 새롭게 보였다. 그 활기찬 거리에 자신도 스스럼없이 낄 수 있다는 사실이 파우스트를 더욱 흥분하게 만들었다. 그때 파우스트의 눈에 한 여인이 들어왔다. 가녀린 몸매의 청순清純한 여인이었다. 파우스트는 자신도 모르게 그 여인 앞에 다가갔고 여인은 놀라 걸음을 멈췄다.

"아름다운 아가씨, 제가 집까지 바래다드리고 싶은데,

청순(清純) : 깨끗하고 순박하거나 순수함.

괜찮을까요?”

파우스트는 손을 내밀며 말했다. 하지만 그 여인은 굳은 목소리로 말했다.

“저는 아름답지도 않고, 아가씨도 아니에요. 게다가 전 혼자 집에 갈 수 있어요.”

여인은 파우스트를 피해 뛰어갔다. 하지만 파우스트에게는 멀어지는 뒷모습마저 아름다워 보였다. 파우스트는 메피스토펠레스를 불렀다. 저 여인과 만나게 해 달라는 소원을 빌 참이었다. 하지만 메피스토펠레스는 손을 내저었다. 저처럼 순진하고 청순한 여자는 자신도 어떻게 할 수 없다는 것이었다.

파우스트가 드디어
사랑에 빠졌구나.
이렇게 들뜬 마음은
파우스트도 처음일걸?

하지만 사랑에 빠진 파우스트는 막무가내였다. 어서 그 여인을 만나게 해 달라고 졸랐다. 고뇌苦惱에 찬 예전 모습은 온데간데없었다. 메피스

고뇌(苦惱) : 괴로워하고 번뇌함.

토펠레스는 회심의 미소를 지으며 선심 쓰듯 이야기했다.

"그렇다면 오늘 밤, 그녀가 이웃 여자의 집에 있을 때, 그녀의 방에 들어갈 수 있게 해 드리죠."

파우스트는 흥분해서 메피스토펠레스에게 말했다.

"그녀에게 줄 선물도 준비해 줘!"

파우스트는 메피스토펠레스의 대답도 듣지 않고 몸단장을 하러 거리로 향했다. 파우스트의 뒷모습을 바라보던 메피스토펠레스도 곧 사라졌다.

결과보다
과정이 중요한 건데.
파우스트,
꼭 그렇게 해야겠니?

한편, 여인은 멍한 표정으로 방에서 머리를 땋고 있었다. 사실 그녀도 파우스트를 생각하고 있었던 것이다. 잘생기고 고귀해 보이는 남자가 자신에게 말을 걸어 왔다는 게 매우 놀랍고 기뻤다. 하지만 그녀는 무척 순수했기에 어떻게 해야 할지 몰랐다. 그녀의 이름은 그레트헨, 아버지가 돌아가신 후 어머니, 오빠와 함께 살고 있었다.

머리를 매만지던 그레트헨은 시계를 보았다. 이웃집 아주머니와 만날 시간이었다. 이웃집 아주머니의 남편은 전

아니! 그럼 그레트헨도
파우스트가 마음에 들었단
말이야? 역시 여자의 마음은
아무도 모른다니까.

쟁터에 나갔는데, 그레트헨은 매일 아주머니와 이야기를 나누며 그녀를 위로했다. 그레트헨은 일어나 밖으로 나갔다.

잠시 후, 파우스트와 메피스토펠레스가 창문으로 들어왔다. 메피스토펠레스는 언뜻 보아도 상당히 비싸 보이는 흑단나무로 만든 보석 상자를 들고 있었다. 파우스트는 그레트헨의 방을 둘러보았다. 소박素朴하지만 정갈한 그녀의 방을 보자 죄책감罪責感이 들었다.

'이렇게 순수한 여인을 보석으로 유혹하려 하다니.'

하지만 그녀를 사랑하는 마음은 더욱 커져만 갔고 보고 싶다는 생각이 파우스트의 머릿속에 가득했다.

그 때 그레트헨이 돌아온다는 정령의 연락을 받은 메피

소박(素朴) : 꾸밈이나 거짓이 없는 것.

죄책감(罪責感) : 저지른 잘못에 대하여 책임을 느끼는 마음.

스토펠레스는 서둘러서 파우스트를 데려 가려 했다. 하지만 파우스트는 움직일 줄 몰랐다. 메피스토펠레스는 어쩔 수 없이 보석 상자를 장롱 안에 숨겨 놓고 파우스트를 외투로 휘감았다.

이래서 사람의 마음은
복잡하다고 하는 거야.
죄책감과 사랑이 동시에
찾아드니까.

그레트헨이 들어옴과 동시에 메피스토펠레스와 파우스트는 사라졌다. 그레트헨은 메피스토펠레스을 보지는 못했지만 뭔가 불길한 느낌을 받았다.

'아니야, 내 소심한 마음 때문일 거야.'

그레트헨은 마음을 가다듬고 옷을 갈아입으려고 장롱을 열었다. 그 때 뭔가 빛나는 것이 보였다. 바로 메피스토펠레스가 놓고 간 보석 상자였다. 그레트헨은 떨리는 손으로 보석 상자를 열었다.

그레트헨의 입에서 저절로 탄성이 나왔다. 상자 안에는 온갖 진귀한 보석들, 아름다운 목걸이, 찬란하게 빛나는 귀걸이 등이 빼곡히 차 있었다. 그레트헨 역시 여자인 까

닭에 아름다운 보석을 싫어할 리 없었다. 그레트헨은 보석을 꺼내 치장하고 거울 앞에 섰다. 아름다운 자신의 모습에 그레트헨은 감탄했지만 곧 한숨을 내쉬었다. 남의 보석을 두르고 기뻐하는 스스로가 너무나 한심해 보였기 때문이다.

'그래, 난 이런 사치스러운 물건을 가질 수 있는 신분이 아니야.'

그레트헨은 힘없이 보석을 내려놓았다.

파우스트가 고민에 휩싸여 산책로를 걷고 있을 때, 메피스토펠레스가 씩씩대며 걸어왔다.

"이런 멍청한 놈! 지옥 불길에나 떨어져 버리라지! 아, 내가 악마가 아니라면 악마에게 영혼을 팔아서라도 복수를 하고 말 텐데."

메피스토펠레스는 온갖 저주의 말을 퍼붓더니 파우스트에게 다가가서는 정말 억울하단 표정으로 이야기를 시작했다.

“아니, 그레트헨의 어머니 있지 않습니까. 남편이 죽은 뒤 교회敎會에만 열심히 나가던 그 이상한 여자 말입니다. 그런데 그 여자가 보석 상자에서 느껴지는 이상한 기운을 알아챈 거예요. 그래서 그걸 덥석 들고 교회에 갖다 바친 겁니다. 그런데 그 교회의 신부 놈이란 게 동네 거지보다 못하단 말이죠. 그러니 그 재물에 혹해 그걸 날름 가져간 겁니다. 덕분에 그레트헨은 주인님께서 주신 선물을 빼앗긴 셈이 되었어요.”

기독교의 힘이 강했던
옛날엔 신부가 그 마을에서
가장 큰 지위를 차지하고 있었지.
그러다 보니 이렇게 타락한
신부들도 생기게 된 거야.

그 말을 들은 파우스트는 그레트헨이 걱정되어 어쩔 줄 몰랐다. 파우스트가 그녀의 소식을 물어 보자 메피스토펠레스는 다시 열을 올리며 이야기했다.

교회(敎會) : 기독교의 말씀을 가르치고 펴며, 또 예배나 미사를 보기 위한 건물.

"그 정도 나이의 처녀處女가 진귀한 보석을 빼앗겼으니 얼마나 속이 타겠습니까. 밤낮 그 보석 생각뿐이죠. 게다가 그걸 준 사람이 누군지도 늘 생각한답니다."

그러자 파우스트는 메피스토펠레스에게 당장 더 좋은 보석 상자를 준비하라고 지시했다.

"그리고 그녀와 단둘이 만날 수 있게 해 줘!"

재물로 다른 사람의
마음을 사려고 하다니.
파우스트도 점점
타락하는구나.

메피스토펠레스는 알겠다고 말하고 곧 보석 상자를 구하러 나갔다. 그러면서 혼자 투덜거렸다.

"사랑에 빠진 바보는 애인이 좋아하는 일이라면 하늘의 해와 달, 별까지 다 따 주려고 하는군. 덕분에 나만 고생이지, 뭐."

다음 날, 그레트헨은 뭔가를 소중히 숨기고 이웃집 아주머니인 마르테의 집으로 향했다. 마르테는 하느님께 기도를 올리고 있는 중이었다. 전쟁터에 나간 남편을 위

처녀(處女) : 결혼하지 않은 성년 여자.

한 기도였는데 뭔가 이상했다.

"하느님, 제 남편을 용서해 주세요. 저를 외롭게 한 것 말고는 잘못한 게 전혀 없는 남자랍니다. 아, 차라리 죽었다는 소식이라도 알면 편하게 쉴 수 있을 텐데……."

마르테의 기도는 오히려 남편이 죽어서, 얼른 다른 남자를 만나고 싶다는 이야기 같았다. 그레트헨이 문을 열고 들어오자 마르테는 얼른 기도를 마치고 일어났다.

"그레트헨, 웬일이니? 이렇게 일찍?"

그레트헨은 숨겨 온 물건을 꺼냈다. 어제 어머니에게 빼앗긴 바로 그 흑단나무 보석 상자였다. 마르테는 놀란 표정으로 보석 상자를 바라보았다.

"이게 뭐니? 어제 어머님이 교회로 가져가셨잖니."

"그러니까요. 그런데 오늘 아침에 장롱 문을 열었는데 또 있는 거예요. 게다가 어제와는 비교도 안 되는 보석들이 가득하고요."

마르테는 욕심 가득한 눈으로 그 보석을 바라보았다. 그러더니 그레트헨의 손을 꼭 잡고 말했다.

"이번에는 어머니께 말씀드리지 말거라. 그러면 또 교회로 가져가실 테니."

"그럼 어쩌죠? 집에 있으면 어머니께 들킬까 봐 치장하지도 못할 텐데."

마르테 말이야.
지금 도와 주는 척하면서
그 보석을 가로채려는 거
아냐?

"우리 집에 두고 가면 되잖니. 하루에 한 번씩 우리 집에 와서 치장해 보렴."

그 말을 들은 그레트헨은 안심했다. 하지만 여전히 풀리지 않는 의문이 있었다.

"그런데 누가 이렇게 비싼 보석 상자를, 게다가 두 번씩이나 제 방에 두고 갔을까요?"

그 때, 노크 소리와 함께 메피스토펠레스가 들어왔다. 마르테는 화들짝 놀랐지만, 멋있는 옷을 입은 메피스토펠레스가 싫지 않았다. 하지만 마르테는 집주인으로서의 위엄威嚴을 잃지 않기 위해 사뭇 화난 표정으로 메피스토펠레스를 노려보았다.

위엄(威嚴) : 존경할 만한 위세가 있어 점잖고 엄숙함.

아니, 또 이렇게 값비싼
보석들이 가득하다니.
어떻게 된 일이냐,
그레트헨?
참 이상하죠?
어제 어머니께서
분명 교회에
가져다 주었는데…….

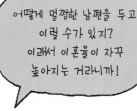

메피스토펠레스는 지금
거짓말을 하고 있어.
하지만 마르테는 오히려
좋아하는걸? 이제야 마음대로
재혼할 수 있으니까.

"여자 혼자 사는 집에 무슨 일이시죠?"

메피스토펠레스는 근엄하게 인사를 했다.

"실례합니다만, 저는 마르테 부인을 만나러 왔습니다."

"제가 마르테인데 무슨 일이시죠?"

메피스토펠레스는 마르테를 바라보며 슬픈 표정을 지었다.

"이렇게 아름다운 분께 슬픈 소식을 전해야 하는 제 마음이 너무도 아픕니다. 실은 부군께서 돌아가셨습니다."

어떻게 멀쩡한 남편을 두고
이럴 수가 있지?
이래서 이혼율이 자꾸
높아지는 거라니까!

그레트헨은 그 말을 듣고 너무 놀랐다. 마르테는 얼굴을 가리고 쓰러지려 했다. 하지만 마르테의 행동이 연기라는 걸 메피스토펠레스는 알 수 있었다. 그러나 장단을 맞춰 주느라 마르테를 부축해 주었다. 마르테는 메피스토펠레스에게 매달리며 거짓 울음을 터뜨렸다.

"여보, 당신 없이 어떻게 살라고요! 그런데, 사망 증명서는 있나요? 그게 없으면 신고를 하지 못하는데요."

"그건 재판정에서 다른 분이 증언을 해 주실 겁니다. 아주 멋진 분이죠. 여행을 많이 해서 아는 것도 많고, 교양도 넘치는 분이랍니다."

그러면서 메피스토펠레스는 그레트헨에게 은밀한 눈빛을 보냈다. 그레트헨은 괜스레 얼굴이 빨개졌다. 하지만 마르테는 그런 상황을 알지 못한 채 여전히 메피스토펠레스에게 매달려 미소를 보냈다.

"그럼 그 분을 만나야겠군요. 오늘 저녁에 저희 집 뒤뜰에서 기다릴게요."

해가 뉘엿뉘엿 질 무렵, 마르테의 집 뒤뜰에서는 두 쌍의 남녀가 즐거운 만남을 갖고 있었다. 죽은 남편의 사망死亡 증명서를 쓰기 위해서 모인 자리라고는 생각하지 못

사망(死亡) : 사람의 죽음.

후후,
귀여운 그레트헨.
날 사랑한다.
사랑하지 않는다.
날 사랑한다!

할 정도로 마르테는 메피스토펠레스의 옆에서 즐거워했다.

악마가 준 보석 상자
때문에 만나게 되다니
너무 꺼림칙해.

한편, 파우스트와 그레트헨은 팔짱을 끼고 여유롭게 산보를 즐기고 있었다. 파우스트는 그레트헨에게 첫눈에 반한 데다 그레트헨도 보석 상자를 준 이가 파우스트임을 알고 둘은 서로에게 빠져들었다. 산보를 즐기던 그레트헨은 잠시 멈춰 서더니 무릎을 굽혔다. 파우스트는 그녀가 무엇을 하는지 지켜보았다. 그레트헨은 풀꽃을 꺾어 들고 꽃잎을 하나씩 뜯어 냈다.

"날 사랑한다. 사랑하지 않는다. 날 사랑한다. 날 사랑하지 않는다……."

파우스트는 사랑스러운 눈으로 그녀를 바라보았다. 그레트헨은 마지막 하나 남은 꽃잎을 들고 기쁨에 차서 일어섰다.

"날 사랑한다!"

파우스트는 그레트헨의 손을 꼭 잡았다. 그레트헨은 파

두 사람이 사랑의
대화를 하고 있구먼.
정말 즐거워 보여!

우스트의 손을 뿌리치고 뉘엿뉘엿 지는 해를 향해 달렸다. 파우스트는 그레트헨의 뒤를 쫓아 뛰었다.

그레트헨은 숲 속의 조그만 정자亭子로 몸을 숨겼다. 파우스트는 이리저리 그레트헨을 찾다가 정자 안으로 들어갔다. 그레트헨이 그를 놀래 주었지만 파우스트는 놀라기는커녕 그녀를 꼭 끌어안았다. 이번에는 그레트헨도 거부하지 않았다. 그들이 입을 맞추려는데, 문 밖에서 메피스토펠레스의 목소리가 들렸다.

"즐거우십니까? 그런데 시간이 너무 늦어서 돌아가야겠는데요."

당황한 둘은 서로 떨어졌다. 파우스트는 그레트헨의 손을 꼬옥 잡았다.

"곧 다시 오겠소."

정자(亭子) : 쉬기 위해서 경치나 전망이 좋은 곳에 아담하게 지은 집.

"꼭 오셔야 해요."

그렇게 두 연인은 아쉬운 이별을 했다.

며칠 동안 파우스트와 그레트헨은 메피스토펠레스의 도움으로 남몰래 만남을 가졌다. 하지만 사람들의 눈을 계속 피할 수는 없는 노릇이었다. 정숙貞淑한 그레트헨이 이방인 남자와 남몰래 만나고 있다는 소문이 서서히 사람들에게 퍼지기 시작했다. 그 소문 때문에 가장 괴로워한 사람은 바로 그레트헨의 오빠, 발렌틴이었다. 군인인 발렌틴은 지금까지 자신의 정숙한 동생을 자랑스럽게 여겨 왔다. 그리고 사람들이 그 말에 수긍할 때 가장 큰 보람을 느꼈다. 하지만 지금은 동네 건달도 자신을 보면 비웃는 게 아닌가.

정숙(貞淑) : 여자로서 행실이 얌전하고 마음씨가 고움.

발렌틴은 그 사실이 죽을 만큼 비참했다. 그래서 그 이방인을 혼내 줄 생각을 하고 집 주변을 맴돌았다.

그 날도 파우스트와 메피스토펠레스는 그레트헨에게 줄 선물을 가지고 그녀의 집으로 향했다. 발렌틴은 멀리서 낯선 이들이 오는 걸 보았다. 분명 그들이 소문의 이방인이라고 확신한 발렌틴은 칼을 꺼내 그들의 앞을 막아섰다.

"네놈들이 분명 내 동생, 그레트헨을 농락한 놈들이렸다! 이 칼을 받아라!"

파우스트가 변명을 할 시간도 주지 않고 발렌틴은 칼을 휘둘렀다. 그 때 메피스토펠레스가 파우스트 앞에 나서서 주문呪文을 외었다. 그러자 발렌틴의 손이 마비되어 칼을 휘두를 수 없게 되었다. 메피스토펠레스는 파우스트를 재촉했다.

"지금이 기회입니다! 어서 찌르세요!"

주문(呪文) : 마법을 부리기 위해 외우는 글귀.

얼결에 파우스트는 칼을 들어 발렌틴의 급소를 찔러 버렸다. 발렌틴이 쓰러진 후에도 파우스트는 그저 멍하니 피 묻은 칼을 바라볼 뿐이었다.

아, 파우스트가
악마의 꼬임에 넘어가서
결국 살인을 저질렀구나.

멀리서 그 모습을 본 야경꾼이 '살인이야!' 라고 소리를 질렀다. 메피스토펠레스는 아직도 멍해 있는 파우스트를 데리고 빠르게 피신했다.

야경꾼의 소리를 들은 사람들이 밖으로 나왔다. 그 중에는 그레트헨도 있었다. 그레트헨은 쓰러진 사람이 자신의 오빠라는 것을 알고는 비명을 질렀다.

"오빠, 오빠!"

원래 문학 작품은
이야기의 재미를 위해 이런
비극적 사건을 만들어 내.
<로미오와 줄리엣>도 원수 집안의
남녀가 사랑하는 이야기잖아.

하지만 발렌틴은 마지막 남은 힘으로 그레트헨을 밀쳐 냈다.

"꺼져라. 더러운 것. 한때는 순결한 것이 가장 큰 아름다움이었던 네가 지금은 너무도 더러워 보이는구나."

그레트헨은 그 소리에 충격을 받았다.

"오빠, 그게 무슨 말씀이세요."

"이 거리의 소문을 듣지 못했단 말이냐. 만약 하느님이 널 용서하신다고 해도, 나는 절대 널 용서하지 못한다."

그레트헨이 발렌틴의 손을 잡으려 했지만, 발렌틴은 주먹을 꼭 쥐었다.

"네 손을 잡고 죽음을 맞이하느니, 그냥 나 혼자서 하느님께 가겠다."

발렌틴은 눈을 감았다. 오빠에게 죽는 순간까지 버림받은 그레트헨은 가슴이 찢어지는 것 같았다. 눈물조차 나오지 않았다. 그레트헨은 그대로 기절해 버렸다.

가족이 죽어 가면서
자신을 원망한다면
기분이 어떨까?

파우스트와 그레트헨의 파국

메피스토펠레스는 악마들의 축제인 '발푸르기스의 밤'에 참석하기 위해 걸음을 서둘렀다. 살인 사건 따위는 전

이방인들이
발렌던을 죽였어!
오빠!
오빠!
아아…….
으……,
넌 우리 집안의 수치다.
오빠라고 부르지도 마라.

혀 신경 쓰지 않는 표정이었다. 메피스토펠레스는 밝게 웃으며 뒤를 돌아보았다.

"빗자루라도 타고 갈까요? 아니면 산양이라도 불러서 타고 가는 게 어때요?"

'발푸르기스의 밤'은
4월 30일이야.
독일의 브로켄 산에서
악마와 마녀들이 모이는
축제를 말하는 거지.

파우스트는 마치 고행하는 수도사와 같은 모습이었다. 웃음기 없는 얼굴로 지팡이를 짚고 걸을 뿐이었다. 그는 메피스토펠레스의 말에 대꾸하지 않았다. 파우스트의 머릿속엔 온통 그레트헨 생각뿐이었다. 어쩔 수 없이 도망치긴 했지만, 그녀를 생각하는 마음은 변함이 없었다. 아니, 점점 더 커져가기만 했다. 그랬기에 파우스트는 고행苦行하는 심정으로 걷고 있었다.

메피스토펠레스는 어깨를 으쓱하고는 파우스트의 뒤를 따랐다. 얼마 후, 길을 안내하는 도깨비불이 나타났다. 녹

고행(苦行) : 깨달음을 얻기 위해 육신을 고통스럽게 하면서 그것을 견뎌 내는 수행을 함.

색의 도깨비불은 그들의 주위를 어지럽게 돌았다.

"자, 이제부터 제가 길을 안내하도록 하죠. 그런데 제가 워낙에 걸음걸이가 이상해서 좀 비틀거릴 겁니다."

과연 도깨비불은 비틀대며 길을 안내했다. 그 불을 따라가다 보니 점점 시끄러운 소리가 들려왔다. 마녀들이 합창을 하며 정령들을 깨우는 소리였다. 혼란스러움은 점점 더 커져서 메피스토펠레스조차도 감당하지 못할 정도였다. 그 때 파우스트의 눈에 그레트헨이 보였다.

"저것 봐. 저건 그레트헨이잖아."

그레트헨이 있는 곳으로 걸어가려는데, 메피스토펠레스가 파우스트를 잡았다.

"그건 환상입니다. 그런 것에 홀리면 좋은 꼴 보기 힘들 텐데요."

하지만 파우스트는 그레트헨을 보고 가만히 있을 수 없었다. 파우스트는 메피스토펠레스에게 그레트헨이 어떻게 되었는지 물어 봤다. 메피스토펠레스는 곤란한 표정을 짓다가 결국 입을 열었다.

"그레트헨은 얼마 전에 남편도 없이 아이를 낳은 죄로 감옥에 갇혀 있습니다. 들리는 이야기로는 반쯤 미쳤다고 하더군요."

파우스트는 아무 말도 할 수 없었다. 그레트헨이 자신의 아이를 낳고, 그 죄로 감옥에 갇혀서 미쳐 버렸다니! 파우스트는 곧바로 뒤돌아 산을 내려갔다. 덕분에 메피스토펠레스도 축제를 제대로 즐기지 못하고 툴툴대며 따라갔다.

그레트헨이
그 지경이 됐는데.
지금 축제가 문제야? 어이구,
메피스토펠레스! 악마지만
정말 너무하는군!

파우스트는 살인죄로 수배된 몸이었기에 도시로의 잠입潛入은 은밀하게 이루어졌다. 메피스토펠레스가 마법으로 사람들을 홀리면, 파우스트가 그 사이에 조금씩 움직인 것이다.

감옥 앞에 서자 파우스트의 마음은 설레기도 하고 무겁기도 했다.

잠입(潛入): 남몰래 숨어듦.

'내가 사랑하는 여인이 이 안에 있다. 하지만 내 잘못으로 미쳐 버렸다.'

파우스트는 무거운 걸음을 옮기며 감옥 안으로 들어갔다. 어두운 감옥 안에서 슬프게 우는 여자의 목소리가 들렸다. 파우스트는 직감적으로 그것이 그레트헨인 것을 알았다. 소리가 나는 쪽으로 가니, 그레트헨이 짚단을 자기 아이인 양 끌어안고 울고 있었다.

"울지 마! 울지 마라, 아가! 울면 안 된다. 울면 안 돼."

파우스트의 가슴은 찢어질 듯 아팠다. 그는 메피스토펠레스에게 받은 마법의 열쇠로 자물쇠를 따고 안으로 들어갔다. 그 소리에 그레트헨이 고개를 돌려 파우스트를 바라보았다. 그레트헨은 웃는지 우는지 모르게 얼굴을 찡그렸다.

"당신이에요? 정말 당신이에요? 이제야 오셨군요."

파우스트는 아무 말도 하지 못하고 그

자신의 아이를
다른 사람에게 빼앗겼으니
그레트헨은 짚단이라도 끌어안고
마음을 달랠 수밖에.

주인님!
사람들이 오고 있어요.
이제 가야 합니다.
미안하오, 그레트헨.
모두 내 잘못이오!
아아, 내 아기는
어디 간 거죠? 당신은 왜
이제 오신 거예요?

레트헨을 끌어안았다. 하지만 그레트헨은 온몸을 떨었다.

"추워요. 당신의 몸은 왜 이렇게 차가운 거죠? 당신의 사랑이 식은 거군요, 그렇죠? 그렇지 않고선 이렇게 차가울 수가 없어요."

"아니요, 그레트헨. 어서 갑시다. 당신을 따뜻하게 해주겠소. 그러니 제발 힘을 내서 일어나요!"

파우스트가 그레트헨을 일으켜 세웠지만 그레트헨은 몸을 돌렸다.

"정말 당신인가요? 틀림없는 당신인가요?"

파우스트는 자신을 알아보지 못하는 그레트헨이 답답하기만 했다. 감옥監獄의 좁은 창 밖으로 서서히 해가 뜨는 게 보였다. 파우스트는 더욱 다급해져서 그레트헨을 끌어 내려고 했지만 그레트헨은 여전히 짚단을 껴안고 울기만 했다.

메피스토펠레스가 급한 발걸음으로 파우스트와 그레트

감옥(監獄) : 죄를 지은 범죄자를 가두어 놓는 곳.

헨이 있는 곳으로 뛰어왔다.

"이제 곧 사람들이 와요. 주인님께서 안 가시겠다면 저 먼저 가겠습니다."

그 때 그레트헨은 하늘을 보았다. 무슨 소리가 들리는지 귀를 귀울이며 중얼거렸다.

"천사가 내려와요. 저도 구원救援받을 수 있나요, 천사님? 저처럼 죄 많은 여자가 과연?"

밖에서는 간수들의 말소리가 들려왔다. 메피스토펠레스는 어쩔 수 없이 파우스트를 끌고 갔다.

"그레트헨! 그레트헨!"

파우스트는 목이 터져라 외쳤지만, 그레트헨은 그저 위만 바라볼 뿐이었다.

"하느님, 절 지켜 주세요!"

창 밖으로 아침 햇살이 비치며 그레트헨을 감쌌다. 그 순간 그레트헨은 어느 성녀보다도 더욱 순결하고 고귀한

구원(救援) : 기독교에서 인류를 죄악과 고통과 죽음에서 건져 내는 일.

모습이었다. 그리고 장엄莊嚴하게 울려 퍼지는 하늘의 목소리가 있었다.

"너는 구원받았느니라!"

그 소리를 마지막으로 파우스트와 그레트헨은 영원한 이별을 하게 되었다.

그레트헨은 비록
죽었지만 하느님께
구원받았으니 분명 천국에
갔을 거야.

장엄(莊嚴): 씩씩하고 웅장하며 위엄 있고 엄숙함.

5장

행복한 순간들

따뜻한 햇빛이 내리쬐고 꽃이 만발했다. 평화로운 풀밭 한쪽에는 폭포수가 쏟아져 내렸다. 이 곳은 마치 천국과도 같았다. 하지만 파우스트는 불안한 모습으로 쪼그리고 잠을 자고 있었다. 어느 새 오랜 시간이 지난 듯 파우스트의 얼굴에는 새로운 주름이 생겼다. 시간이 흐르고 해가 질 때까지 파우스트는 계속 쓰러져 있었다.

밤이 오자 정령들이 파우스트의 주변周邊을

주변(周邊) : 어떤 대상의 둘레. 바깥 부분들.

맴돌았다. 아름다운 광경이었지만 파우스트의 눈에는 그 모습이 보이지 않았다. 몹시 지친 것이다. 그러자 정령들이 노래를 불렀다. 자연의 아름다움을 찬양하는 노래였다. 노래는 밤새 계속 되었고 아침이 되자 다시 새로운 태양이 떠올랐다. 쏟아져 내리는 폭포수에는 하얀 물보라와 함께 무지개가 피어올랐다.

파우스트의 얼굴에도 희망의 빛이 감돌았다. 최고의 삶을 살기로 한 자신이 아니었던가. 슬픔에 빠져 삶 안에서 모든 진리를 깨닫겠다고 한 결심을 깰 수는 없었다. 그는 일어서서 주먹을 불끈 쥐었다.

메피스토펠레스가 파우스트의 옆으로 다가섰다.

"이제 결심이 선 모양이군요. 가시죠. 소개紹介시켜 드릴 분이 있습니다."

메피스토펠레스의 외투가 다시 한 번 펄럭였다.

메피스토펠레스가 파우스트를 데리고 간 곳은 왕궁이

소개(紹介) : 모르는 사이를 알고 지내도록 중간에서 관계를 맺어 줌.

었다. 왕궁은 겉으로 보기에는 커다랗고 화려했지만 안의 집기는 일반 가정집보다 못했다. 황제의 낭비 때문에 궁정의 돈이 모두 바닥났기 때문이었다. 하지만 황제는 그런 사실에 신경 쓰지 않고 여전히 낭비만 하려고 했다. 그 때문에 궁중 사람들은 모두 걱정이 태산이었다.

메피스토펠레스는 파우스트를 데리고 황제에게 갔다. 황제는 그들을 신기하다는 눈으로 쳐다보았다. 메피스토펠레스가 정중하게 말했다.

"존경하는 황제 폐하. 이렇게 용안龍顔을 뵈오니 더없는 영광입니다."

"그대들은 누군고? 처음 보는 얼굴인데."

"그건 중요하지 않습니다. 저희는 단지 황제 폐하의 고민을 해결해 드리고 싶어서 왔습니다."

"고민이라?"

"예, 요즘 왕궁의 재정이 어렵다는 소문이 들려서요.

용안(龍顔) : 임금의 얼굴을 높여 부르는 말.

저희가 그 문제를 해결해 드릴 수 있을 것 같습니다."

그 말을 들은 다른 신하들은 메피스토펠레스를 노려보았다. 그건 결국 자신들이 무능하다는 이야기였기 때문이다. 하지만 황제皇帝는 흥미롭다는 듯 그들을 보았다.

"그래, 너희들이 그 일을 해결할 수 있다는 말이냐?"

"예, 여기 계신 파우스트 선생님께서 그 고민을 해결할 수 있을 겁니다. 정말 유능하신 분이죠."

메피스토펠레스는 파우스트를 소개했다. 파우스트는 황제 앞에 무릎을 꿇었다.

"황제 폐하, 저는 이 문제를 해결할 방책을 갖고 있습니다. 하지만 그 방책을 실행하기 위해서는 폐하의 도움이 절실합니다."

"내 도움이 필요하다고?"

"예. 저희에게 잠깐만 황제 폐하의 힘을 쓸 수 있는 권리를 주셨으면 합니다."

황제(皇帝) : 제국의 왕을 높여 부르는 말.

신하들은 그 말을 듣고 격렬히 반대했다. 신분도 모르는 이들에게 그런 힘을 줄 수는 없다는 것이었다. 그러자 황제가 오히려 신하들에게 화를 냈다.

"그렇다면 너희들이 이 상황을 해결할 방법을 내 보거라. 지금까지 너희들이 한 게 뭐가 있다고 함부로 소리를 지르느냐!"

그러자 신하들은 모두 입을 다물었다. 황제는 일어나 메피스토펠레스와 파우스트에게 다가갔다.

"사흘의 여유를 주겠다. 그 동안 너희들은 짐이 가진 권한權限을 모두 누릴 수 있노라. 하지만 사흘이 지나고도 해결을 못 한다면 그 목은 붙어 있기 힘들 줄 알거라!"

그러자 신하들도 득의양양한 미소를 지었다. 겨우 사흘 만에 그걸 어떻게 해낼 수

옛날 황제의 힘은
신과 같았지.
그 힘을 달라고 했으니
다른 신하들이
반대할 만도 해!

권한(權限) : 어떤 사람이나 기관의 권리나 권력이 미치는 범위.

이 광대 같은
놈들은 도대체 뭐야?
좋다.
사흘의 시간을
주겠다.
화장실
가고 싶다~.
하하하!
폐하, 걱정하지 마십시오.
왕궁과 이 나라의 재정 상태를
회복시켜 드리겠습니다.
낄낄낄.
저만 믿으시라니까요.

짧은 시간에
어려운 일을 해결하는 이야기는
옛날 영웅 신화에 자주 나오지.
이 작품을 쓴 괴테도 거기서
영향을 받았을 거야.
mug

있단 말인가. 하지만 메피스토펠레스는 여유만만이었다.

"고맙습니다. 그럼 저희가 감사의 표시로 간단한 불꽃놀이를 보여 드리겠습니다."

메피스토펠레스가 손짓을 하자, 불꽃의 정령들이 모두 나와서 춤을 추기 시작했다. 순식간에 왕궁은 불구덩이가 되었다. 비명을 지르는 사람, 오줌을 지리는 사람, 머리를 땅에 박는 사람 등 제각각이었다. 하지만 황제는 그 모습을 보며 웃음을 터뜨렸다. 그 사이 파우스트와 메피스토펠레스는 그 자리를 떠났다.

다음 날, 혼란이 잦아든 왕궁에 파우스트와 메피스토펠레스가 다시 찾아왔다. 양 손에 종이 뭉치를 잔뜩 든 채로 말이다. 황제는 아직도 어제 일이 생각나는지 신하들을 보고 킥킥대고 웃었다. 메피스토펠레스는 황제 앞에 공손히 무릎을 꿇었다.

"어제 불꽃놀이는 재미있으셨습니까, 폐하? 너무 소란을 피운 건 아닌지요."

"아닐세, 어제는 정말 즐거웠네."

황제는 오줌을 지리던 신하를 보며 다시 한 번 킥킥댔다. 파우스트는 종이 뭉치를 황제에게 건넸다.

"이것이 폐하의 고민을 해결해 줄 마법의 문서입니다. 폐하께 드리기 위해 이렇게 가지고 왔습니다. 오는 길에 사람들에게도 나누어 주었습니다."

폐하는 종이를 보았다. 그 종이에는 황제의 얼굴이 그려져 있고, 그 옆에 멋들어진 글씨가 쓰여 있었다.

황제의 이름을 빌려
돈을 만들어 냈구나!
'크로네'는 이 나라의
화폐 단위인가 봐.

이 종이는 일천 크로네의 가치를 가진다. 그 가치는 왕국의 지하에 묻혀 있는 무진장한 금은 보화를 담보擔保로 한다. 황제가 증인이 된다.

담보(擔保) : 빚을 진 사람이 그 빚을 대신할 수 있는 신용으로 제공하는 보장.

그 옆에 황제의 서명까지 되어 있었다. 황제는 깜짝 놀랐다. 한 적도 없는데, 자신의 서명과 똑같은 서명이 되어 있었기 때문이다.

"이 황당한 내용은 무언가? 게다가 어떻게 너희들이 내 서명을 똑같이 했단 말이냐?"

메피스토펠레스는 웃으며 말했다.

"저희가 사흘 동안 황제의 권위를 빌렸으니, 그 서명도 똑같은 게 당연하지 않겠습니까."

아니 어느 새
저런 문서를 준비했지?
게다가 황제의
서명까지 하다니!

황제가 미처 무슨 말을 더 하기도 전에 신하들이 환호하며 뛰어들어왔다. 왕국의 모든 재정 문제가 해결되었기 때문이다. 월급을 받지 못해 곧 왕궁을 향해 칼을 들이댈 것 같았던 군인들도 다시 국가에 충성을 맹세했다. 텅텅 빈 왕궁의 보물 창고도 다시 원래의 보물들로 채워졌다. 빚을 진 사람들은 넘쳐흐르는 지폐로 빚을 갚았고 지폐와 금화를 바꿔 주는 은

행도 덩달아 번성했다. 사람들은 지폐를 들고 푸줏간과 빵집, 그리고 술집으로 달려갔다. 여자들은 새 옷을 해 입으려고 옷가게에 줄을 섰고, 아이들은 사탕 가게에 몰렸다. 그러면서 모두 '황제 폐하 만세!' 라고 외쳤다.

신하들은 감격에 차서 이 모든 이야기를 황제에게 고했다. 자신의 왕국이 그 어느 때보다 부강해진 걸 알게 된 황제는 파우스트를 바라보았다.

"정말 놀랍구나. 앞으로 이 나라의 모든 행정 업무를 자네에게 맡기겠노라. 자네는 앞으로 내 바로 다음 자리에 앉으라."

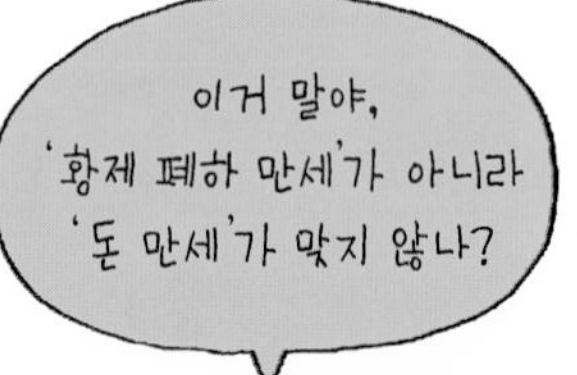

이거 말야,
'황제 폐하 만세'가 아니라
'돈 만세'가 맞지 않나?

그 말에 반대하는 신하는 아무도 없었다. 그들도 그 지폐란 것 때문에 부인의 성화成火에서 벗어났기 때문이다. 오히려 큰 박수를 치며 파우스트를 맞이했다. 파우스트는 답례로 손에 들고 있던 지폐를 하늘

성화(成火) : 몹시 귀찮게 구는 일.

와아!
돈이다, 돈이야!
하하하!
이렇게 쉬운걸!
황제 폐하
만세!

높이 뿌렸다. 그러자 모두 그 지폐를 잡기 위해 달려들었다. 재상이란 지위도, 국방장관이란 명예도 필요 없었다. 그들은 어릿광대와 엉켜서 더 많은 지폐를 잡기 위해 발버둥쳤다.

원래 지폐는 국가에서 엄격한
심사를 거쳐 만들어 내.
그런데 마음대로 지폐를
만들다니!

하지만 이 모든 일들이 있을지 없을지도 모르는 땅 속 보물을 담보로 한 일이란 걸 그들은 알지 못했다. 그저 눈앞에 벌어진 일에 좋아하기만 할 뿐이었다.

헬레나에게 반한 파우스트

나라가 안정되자 황제는 마법을 보는 재미에 빠졌다. 날마다 파우스트와 메피스토펠레스를 불러 더욱 신기한 마술, 더욱 흥미로운 마법을 보여 달라고 했다.

그러던 어느 날 황제의 표정이 시무룩했다. 파우스트의 마법에도 흥미가 없는 눈치였다. 파우스트가 황제에게 물

었다.

"무슨 걱정이라도 있으십니까, 폐하? 안색이 너무 좋지 않으십니다."

그러자 황제는 한숨을 푹 쉬며 이야기를 시작했다.

"짐이 어제 그리스 신화를 읽는데 파리스와 헬레나의 이야기가 나오더군. 역사상 가장 완벽한 남자였던 파리스와 가장 완벽한 여자였던 헬레나에 대한 이야기는 정말 놀라웠어. 하지만 그들의 실물을 보지 못한다면 무슨 의미가 있을까. 자네가 그들을 짐에게 한 번만 보여 준다면 어떤 상을 내려도 부족할 터인데……."

"오늘 저녁에 그들을 만나게 해 드리겠습니다."

파우스트의 호언장담豪言壯談에 황제는 몹시 기

호언장담(豪言壯談) : 분수에 맞지 않는 말을 큰 소리로 자신있게 말함.

빼했다. 그리고 시종들에게 오늘 저녁 큰 공연이 있을 터이니 신하들과 귀족들과 시인들을 모두 초대하라는 명을 내렸다.

파우스트는 물러나 메피스토펠레스에게 그 사실을 말했다. 메피스토펠레스는 남몰래 한숨을 쉬었다.

'그저 명예에 정신이 팔려 지키지도 못할 약속을 하다니……. 이 인간 가면 갈수록 구제불능인걸?'

메피스토펠레스는 작은 열쇠를 하나 꺼내 파우스트에게 주었다. 열쇠는 파우스트의 손 안에서 점점 커지더니 빛을 냈다. 놀란 파우스트에게 메피스토펠레스는 열쇠의 사용 방법을 설명해 주었다.

"그 열쇠를 등불 삼아 지하 깊은 곳으로 내려가면 태고의 '어머니들'이 계실 겁니다. 그럼 그 열쇠를 보여 주세요. 그럼 적어도 그 자리에서 벌을 받지는 않을 거니까요. 그들에게 진심을 담아 파리스와 헬레나를 보고 싶다고 이야기하세요. 하지만 그 어머니들이 파리스와 헬레나를 당신에게 넘겨줄지는 아무도 모릅니다. 그건 모두 당

여기서 말하는 '어머니들'이란
이 세계를 만든 어머니야.
그들은 아무도 모르는 곳에 있지.

신 하기에 달렸어요."

파우스트는 곧 열쇠를 들고 지하로 내려갔다.

황제의 명을 받은 사람들이 속속 공연장으로 모였다. 그들은 무슨 일로 모인 것인지 듣지 못했기 때문에 추측하기에 바빴다. 어떤 사람들은 황제가 큰 가장무도회假裝舞蹈會를 하기 위해 사람들을 모았다고 했다. 또 어떤 사람들은 온갖 진귀한 음식들로 이루어진 저녁 만찬이라고도 말했다. 하지만 사람들이 모두 모이고 황제까지 도착했지만 아무 일도 일어나 않았다. 웅성대는 사람들을 진정시키기 위해 메피스토펠레스가 무대 위로 나섰다. 그는 온갖 마술로 좌중을 휘어잡았다. 악마의 비법으로 사람들의 고민을 상담해 주기도 했다. 하지만 시간이 지나자 메피스토펠레스는 미칠 지경이었

가장무도회(假裝舞蹈會) : 사람들이 갖가지로 외모를 가장하고 춤을 추는 모임.

다. 쓸데없는 질문質問이 너무 많이 들어왔기 때문이다.

"발가락 사이에 난 티눈은 어떻게 치료하면 되나요?"

"고양이가 어제부터 아무것도 먹지 않아요. 뭘 먹이면 좋을까요?"

"일찍 일어나고 싶은데 아침에 눈이 안 떠져요. 어떻게 하면 좋죠?"

메피스토펠레스는 당장 그 자리를 떠나고 싶었다. 하지만 일단 자신이 주인으로 모시고 있는 파우스트가 오기 전까지는 어쩔 수 없었다.

그 때, 갑자기 무대의 불이 꺼지고 묘한 연기가 피어올랐다. 메피스토펠레스는 무대 뒤에서 진땀을 흘리며 헉헉대는 파우스트를 발견하고는 곧장 뛰어갔다.

"왜 이렇게 늦게 왔어요?"

"어머니들은 정말 무섭더군."

"파리스와 헬레나는요?"

질문(質問) : 모르는 것이나 알고 싶은 것을 물음.

파우스트도 무대 연출을
할 줄 아는걸? 배우가
나오기 전에 신비감을 주기
위해 연기를 피우잖아.

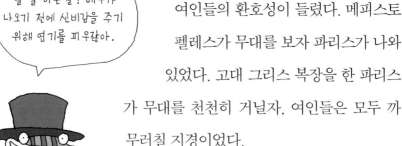

파우스트가 대답對答을 하기도 전에 여인들의 환호성이 들렸다. 메피스토펠레스가 무대를 보자 파리스가 나와 있었다. 고대 그리스 복장을 한 파리스가 무대를 천천히 거닐자, 여인들은 모두 까무러칠 지경이었다.

"어쩜 저렇게 완벽할까! 정말 멋있어!"

"하품하는 모습까지 저토록 고귀하다니!"

"저 어깨를 봐. 어쩜 저렇게 넓지?"

하지만 남자들은 질투에 찬 시선으로 파리스를 비난하기에 바빴다.

"남자다운 데라곤 한 군데도 없잖아!"

"저런 얼굴은 자고로 머리가 텅텅 빈 경우가 많지."

"겉만 번지르르할 뿐이야."

그런데 순간, 남자들의 비난이 쏙 들어갔다. 그들은 그

대답(對答) : 묻는 말에 해답이나 자신의 의견을 이야기함.

저 멍한 표정으로 입을 벌렸다. 반대편 무대에서 헬레나가 나타났기 때문이다. 헬레나가 파리스를 보며 미소를 짓자 남자들은 마치 자기가 그 미소를 받은 양 기뻐했다.

"저 미소를 보니 시상이 절로 떠오르는데!"

"지금까지 많은 귀부인을 보았지만 저렇게 아름다운 여인은 처음이야."

"아, 저런 여자가 내 부인이라면 얼마나 좋을까."

이제는 반대로 여인들이 비난을 하기 시작했다.

"머리가 너무 작은 거 아니야? 콩알 같잖아."

"저 발 좀 봐. 완전 마당발이야. 저래서 어디 구두나 신겠어?"

"남자가 너무 아까워."

남자와 여자들은 서로 패가 갈려 서로를 비난하며 파리스와 헬레나를 바라보았다. 하지만 헬레나의 미모에 가장 넋이 나간 건 바로 파우

다들 파리스와
헬레나에게 완전 반했는데?
그만큼 완벽하다는 거겠지.
아, 나도 직접 보고 싶다.

스트였다. 그는 자신이 헬레나를 처음 본 게 아니란 걸 깨달았다.

젊음을 되찾는 약藥을 마시기 위해 마녀의 오두막에 갔을 때, 마법의 거울에서 본 여인이 바로 헬레나였던 것이다. 하지만 막상 이렇게 실제 모습을 보게 되니 거울의 영상이 너무 초라하게 생각되었다. 그만큼 헬레나의 미소는 눈이 부셨다. 자신이 불러온 유령이라는 것도 잊고 파우스트는 멍하게 헬레나를 쳐다보았다.

파리스와 헬레나가 서로 마주 보고 손을 꼭 잡자, 질투에 찬 비명이 공연장에 넘쳐흘렀다. 파우스트도 예외는 아니었다. 파리스와 헬레나가 입을 맞추려고 얼굴을 가까이 하자 파우스트는 질투에 사로잡혀 무대 위로 뛰어올랐다. 관객들은 새로운 인물이 나타난 줄 알고 기대에 찬 시선으로 파우스트를 바라보았다. 그 순간, 파우스트는 파

약(藥) : 병이나 상처를 고치거나 병을 예방하기 위해 먹거나 바르거나 주사하는 물질.

파리스!
오, 헬레나!
헬레나는
정말 아름답군,
아름다워!
하품 하는 모습까지
저토록 고귀할 수
있다니.
지금까지 많은
귀부인을 보았지만
저런 아름다운 여인은
처음이야.
덩치에 비해
근육은 별로데?
저 어깨 봐.
어쩜 저렇게 넓지?

리스를 밀쳐 냈다. 남자들은 환호성을 울리고, 여자들은 비명을 질렀다. 하지만 파우스트가 헬레나를 안고 도망치자 남자들이 벌떡 일어났다. 공연장公演場은 난장판이 되었다. 남자들은 파우스트를 막으려고 무대 위로 뛰어올랐고, 여자들은 넘어진 파리스를 간호한답시고 주변을 둘러쌌다. 그런 혼란 가운데 황제는 멍해질 뿐이었다.

순간, '펑' 하는 큰 소리와 함께 거센 연기가 피어올랐다. 사람들은 짙은 연기에 당황해하여 이리저리 무대를 헤맸다. 잠시 후, 연기가 걷히자 그 곳에는 헬레나도 파리스도 없었다. 파우스트와 메피스토펠레스가 사라진 건 물론이었다. 사람들은 귀신에 홀린 듯 넋을 잃고 서 있었다.

그 시간, 메피스토펠레스는 정신을 잃은 파우스트를 업고 도망가고 있었다. 산 사람이 유령을 만져서 문제가 생긴 것이었다.

공연장(公演場) : 연극이나 춤, 노래 등을 부르고 그것을 사람들이 보게 하기 위해 만든 장소.

“악마가 손해를 보다니 있을 수 없는 일이야. 어쩌면 이렇게 바보 같지?”

역시 산 사람과 죽은 사람은
만날 수 없는 존재인가 봐.
마법이 뛰어난 파우스트도
이런 일을 당한 걸 보면.

메피스토펠레스가 파우스트를 업고 도착한 곳은 바로 파우스트의 서재였다. 오랜 시간이 지났지만 그 곳에는 아무런 변화가 없었다. 메피스토펠레스는 침대에 파우스트를 눕힌 뒤 마을 주변을 천리안千里眼으로 훑어보았다. 마을 사람들 역시 나이가 든 것 말고는 달라진 게 없는 일상을 살고 있었다. 아니, 하나 달라진 게 있었다. 예전에 마을 사람들이 파우스트를 칭송하던 것처럼 지금은 바그너를 칭송하고 있었던 것이다.

휴,
이야기의 출발점인
파우스트의 서재로
돌아온 건가?

‘멍청한 파우스트의 제자가 이렇게 유명해지다니!’

천리안(千里眼) : 먼 곳을 바라볼 수 있는 눈. 또는 그런 능력.

메피스토펠레스는 문득 바그너가 뭘 하고 있는지 궁금했다.

유명한 학자 차림으로 변신한 메피스토펠레스는 바그너의 연구실을 찾아갔다. 문을 두드리자 바그너가 문을 열었는데 벌써 며칠째 밤을 샜는지 눈이 퀭했고 옷에서 냄새도 났다. 메피스토펠레스가 무슨 말을 하기도 전에 바그너는 그의 손을 잡고 연구실 안으로 잡아끌었다.

"마침 잘 오셨습니다. 지금 제 연구가 거의 끝나가고 있습니다. 누군가와 함께 이 위대한 순간을 보려고 했지만 혹시 제가 사람을 찾으러 나간 사이 무슨 일이 생길까 봐 자리를 비우지 못하던 참이었습니다. 선생님은 제가 보기에 고귀한 학자이신 것 같군요. 저와 함께 연구 결과를 봐 주시지 않겠습니까?"

바그너의 연구실에는 유리병이 수도 없이 놓여 있었다. 그리고 그 유리병마다 위험해 보이는 연기가 피어오르고 있었다. 그 연기에는 악마인 메피스토펠레스도 코를 싸매쥘 수밖에 없었다. 하지만 바그너는 아무렇지도 않은 표정이었다. 오히려 그 연기가 달콤한 향기라도 되는 듯 숨을 크게 들이마셨다. 그리고 가장 강하게 연기를 뿜어 내는 유리병으로 다가갔다.

"파우스트 박사님께서 갑자기 사라지신 후, 저는 뭘 어떻게 해야 할지 몰랐죠. 하지만 언젠가는 박사님께서 다시 오실 거라 믿고 그 분의 방을 늘 정리했답니다. 그러다 우연히 선생님의 노트를 보았죠. 정말 놀라웠답니다. 저는 평생을 노력해도 따라가지 못할 정도로 방대尨大한 연구 기록이 있었답니다. 그런데 그 중, 아직 박사님께서 성공하지 못한 연구가 있더군요. 그 연구를 알게 된 순간, 저는 거기에 평생을 바치기로 마음먹었습니다."

제자가 스승의 연구를
이어받아 계속하는 건 흔한
일이지. 바그너도 대단한데?
결국 연구를 완성하다니.

메피스토펠레스는 여전히 코를 싸매 쥐고 말했다.

방대(尨大) : 규모나 양이 매우 크거나 많음.

"그 연구가 지금 이 연기와 관련이 있단 말이오? 무지하게 구린 연구로구만."

"아니오. 이건 새로운 생명을 탄생誕生시키는 연구랍니다."

왜 인공적으로
뭔가를 만들려 하지?
그럼 꼭 사고가
나게 마련인데.

"새로운 생명? 그럼 이 작은 유리병 안에 아빠와 엄마가 들어가 있단 말인가?"

"아뇨, 그런 게 아닙니다. 정말 순수한 생명을 탄생시키기 위한 연구죠. 이렇게 선명하게 연기가 피어오르는 걸 보니 이제 곧 때가 된 것 같습니다."

바그너의 말대로 연기는 점점 더 거세게 피어오르더니 서서히 걷히고 유리병 안의 모습이 드러났다. 그 안에는 조그만 아기가 있었다. 하지만 그 아기는 곧 눈을 뜨고 주변을 둘러보았다.

"이제 제가 태어났군요!"

탄생(誕生): 사람이 태어나는 일을 높여 부르는 말.

논란이 되고 있는
인간복제에 대한 상상은
아주 옛날부터 있었나 봐.
조금 다르긴 하지만.

바그너는 기절해 버렸다. 며칠 간 밤을 새워서 쌓인 피로 때문이기도 했고, 자신의 연구가 정말 성공했다는 놀람도 있었을 것이다. 하지만 아기는 개의치 않고 유리병 안을 즐겁게 뛰어다녔다. 그러다 메피스토펠레스를 쳐다보았다.

"제 아빠는 어디 계시죠? 아빠를 보고 싶어요."

메피스토펠레스는 바그너를 가리켰다. 하지만 아기는 고개를 저었다.

"아니요. 저분은 절 만든 분이죠. 그러니까 굳이 말하자면 엄마예요. 절 처음에 생각하신 분, 파우스트 말이에요. 그 분이 저의 아빠죠."

"파우스트를 알고 있어?"

"그럼요. 저는 태어나기 전에 이미 모든 걸 배웠으니까요. 저를 만든 마법의 샘물이 그걸 가르쳐 주었어요."

저 아기는 이제
어쩌란 말이야.
왜 책임도 못 질 행동을
하는 거야?

오호, 이런!
내가 해냈어!
꼴까닥~!
파우스트 말이냐?
호오~.
신통한 녀석일세!
제가 태어났군요.
그런데 아빠는
어디에 있죠?

장난기가 발동한 메피스토펠레스는 아기가 들어 있는 유리병을 들고 파우스트의 서재로 갔다. 아기는 누워 있는 파우스트를 보더니 크게 울음을 터뜨렸다.

"우리 아빠가 아파요?"

"그래, 파우스트는 지금 사랑의 열병을 앓고 있지. 그래서 정신을 못 차리고 있단다."

"제가 아빠를 도와야겠어요. 아저씨의 마법의 망토로 아빠를 덮어 주세요."

메피스토펠레스가 아기의 말대로 하자, 아기는 주문을 외웠다. 그러자 마법의 외투에서 빛이 나며 파우스트와 메피스토펠레스를 어디론가 데려갔다. 아기는 멀어지는 외투를 보며 손을 흔들었다.

"잘 가요, 아빠!"

아기가 저 둘을
어디로 보낸 걸까?
아유, 궁금해!

6장

파우스트의 마지막 행복

아기의 도움으로
파우스트는 고대 그리스로
갔구나. 그럼 이제 헬레나를
볼 수 있겠네?

파우스트는 눈을 떴다. 그리고 잠시 후, 자신이 갑옷을 입고 있다는 걸 알아차렸다. 파우스트는 주변을 둘러보았다. 그 곳은 자신이 살던 시대가 아니라 고대 그리스였다. 메피스토펠레스는 고대 그리스의 악마들과 잡담을 늘어놓고 있었다.

파우스트가 메피스토펠레스에게 다가갔다.

"지금 여기가 고대 그리스인가?"

"그런가 보네요. 저도 여기 있는 스핑크스에게 듣고 알았습니다."

과연 사자의 몸과 독수리의 날개, 그리고 여인의 얼굴을 하고 있는 스핑크스가 앞에 서 있었다. 파우스트는 성급히 질문을 했다.

"헬레나는 지금 어디 있지?"

그 말을 들은 스핑크스는 웃음을 터뜨렸다. 지금까지 자신이 질문을 한 적은 많았지만, 자신에게 질문을 한 사람은 없었기 때문이다. 스핑크스는 앞발을 들어 왕궁 쪽을 가리켰다.

파우스트는 곧 스핑크스가 가리킨 곳으로 뛰어갔다. 이상하게도 아무도 파우스트의 앞을 가로막지 않았다. 그리고 파우스트도 헬레나가 어디 있는지 알고 있는 듯 거침없이 복잡한 왕궁을 돌아다녔다. 커다란 문 안에서 헬레나의 목소리가 들렸다. 흥분한 심장心臟을 가라앉히고 파우스트는 문을 열었다. 과연 그 방에는 헬레나가 있었다. 파우스트가 무슨 말을 하기도 전에 헬레나는 일어나 파우

심장(心臟) : 수축에 의해 혈액을 몸 전체로 보내는 순환계의 근육 기관.

두 사람의
결혼을 선언합니다!
정말
아름다운 커플이에요.
아이는 몇이나
낳으실 건지?
헬레나,
사랑하오.
축하합니다!
축하해요!

스트의 손을 잡고 뛰었다.

"늦었어요, 빨리 와요."

헬레나가 파우스트를 데리고 달려간 곳은 바로 결혼식장이었다. 메피스토펠레스가 주례를 보고 스핑크스가 꽃을 뿌렸다. 메피스토펠레스는 곧바로 두 사람의 결혼을 선포했다. 파우스트는 그저 어리둥절할 따름이었다. 스핑크스가 그런 파우스트와 헬레나를 태우고 새로운 보금자리로 안내했다.

깊은 산이 사방을 둘러싸고 있는 초원의 오두막집이 그들의 보금자리였다. 그 곳에서 파우스트와 헬레나는 행복하게 살았다. 그들 사이에는 아들도 있었다. 그 아들의 이름은 오이포리온이었다. 그는 사랑스러운 아들이었지만 뛰는 걸 너무 좋아했다. 사방을 둘러싸고 있는 산을 뛰어넘으려는 듯 오이포리온은 계속 뛰었다. 점점 뜀뛰기는 높아져만 갔다. 파우스트와 헬레나는 그런 오이포리온을 걱정

파우스트,
소원 성취했네.
세상에서 가장 아름다운
미녀를 얻다니!

아이가
운동을 좋아하나 보네. 운동도
좋지만 공부도 같이
해야 하는데 말이야.

스러운 눈길로 쳐다보았다. 아들이 마치 산양처럼 뛰는 것만 좋아했기 때문이다.

오이포리온은 산 밖 사람들의 고통스러운 목소리가 들려서 그랬다고 말했지만 파우스트와 헬레나에게는 그 목소리가 들리지 않았다. 오이포리온은 어느덧 장성長成한 청년이 되었다. 그러자 그는 파우스트와 헬레나에게 큰절을 올렸다. 그 모습을 보고 불길한 예감에 휩싸인 헬레나는 아들을 잡았다.

"어디를 가려고 그러는 거니?"

"이 산을 넘겠습니다. 산 너머 사람들의 고통을 해결해 주려고요."

헬레나가 미처 말릴 새도 없이 오이포리온은 높이 뛸 준비를 했다. 몸을 웅크렸다가 거세게 달려나가 산을 향해 뛴 오이포리온에게 강한 빛이 흘러나왔다. 빛은 산을

장성(長成) : 아이가 자라 어른이 되는 것.

넘어 하늘 높은 곳으로 날아갔다. 오이포리온의 옷만이 바닥에 떨어졌다. 헬레나는 그 옷을 들고 한참을 슬프게 울었다. 파우스트의 위로는 아무 소용이 없었다. 한참을 그렇게 울던 헬레나는 일어나서 파우스트를 바라보았다.

"그 동안 당신 옆에 있으면서 너무도 기뻤습니다. 아들은 저에게 더욱 큰 기쁨이었어요. 하지만 그 아이가 이렇게 사라졌으니, 저도 이제 갈 때가 되었나 봐요. 안녕히 계세요."

파우스트가 헬레나를 잡으려고 손을 뻗었지만 이미 헬레나도 사라지고 그녀의 옷만 떨어져 있었다. 파우스트는 갑작스런 행복만큼 갑자기 다가온 불행不幸에 너무 놀라 쓰러지고 말았다.

전쟁에서 이긴 파우스트

파우스트가 눈을 뜨자 그는 군대에서 쓰는 간이 침대에

불행(不幸) : 행복하지 않은 것. 운수가 나쁜 것.

누워 있었다. 그리고 파우스트가 있는 곳은 군대의 막사였다. 벌떡 일어나 주위를 둘러보던 파우스트는 머리를 싸매 쥐었다.

"아, 이 모든 게 나의 환상幻想이었단 말인가? 이럴 수가! 아니다, 아니야. 난 분명 그녀와 함께 있었어!"

언제나 그렇듯이 파우스트의 곁에 메피스토펠레스가 있었다. 파우스트는 메피스토펠레스의 멱살을 잡았다.

"그렇지! 네 놈이 알고 있지 않느냐! 네가 나와 헬레나의 결혼 주례를 맡지 않았느냔 말이다!"

숨이 막혀 컥컥대던 메피스토펠레스는 겨우 파우스트의 손을 쳐냈다.

"지금 그게 중요한 게 아닙니다요! 황제께서 지금 위험에 빠졌다고요!"

마치 <삼국유사>에 실려 있는 '조신몽' 설화 같아. 일생을 정말 행복하게 살았는데 깨어 보니 꿈이었다는…….

환상(幻想) : 현실로는 있을 수 없는 일을 있는 것처럼 상상하는 일.

그 때 큰 포성이 들렸다. 밖으로 나가 보니, 눈앞에는 전쟁이 벌어졌고 황제의 깃발이 위태롭게 흔들리고 있었다. 반면 그 곳을 포위한 가짜 황제의 깃발은 금세라도 돌진할 준비를 갖추고 있었다. 파우스트는 놀라서 메피스토펠레스를 불렀다.

"이게 어찌 된 일이냐? 어쩌다가 황제 폐하가 저렇게 된 거지?"

"당연한 결과죠. 놀기만 좋아하는 황제에게 불만이 생긴 장수들이 새로운 황제를 받들고 반역反逆을 일으킨 겁니다. 그래도 우리가 모시던 분이니 도와 줘야겠죠?"

"당연하지! 어서 군사를 불러라!"

그러자 메피스토펠레스는 세 명의 용사를 데리고 왔다. 모두 건장한 체구에 번쩍이는 갑옷을 입고 있었다. 그리고 양손에 큰 칼과 방패를 들고 있었다. 파우스트는 그들이 마음에 들었다. 하지만 단지 세 명뿐이라는 게 마음에

반역(反逆) : 자신의 상관에게 배반하여 돌아섬.

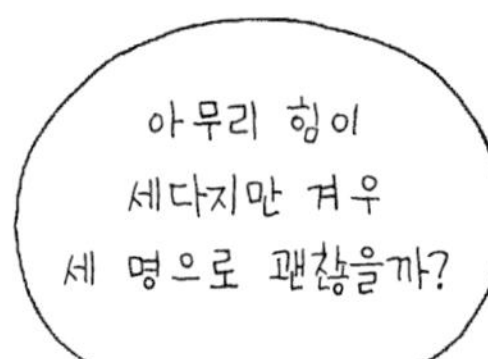

걸렸다.

"다른 군사는 없단 말인가?"

"벌써 다 죽었거나 가짜 황제의 편에 붙었습죠. 하지만 안심하세요. 이 세 명의 용사만으로도 능히 삼백 명, 삼천 명을 상대할 수 있으니까요. 그리고 저도 뒤에서 돕겠습니다."

조금 미심쩍었지만 파우스트는 황제를 구하기 위해 돌진 명령을 내렸다. 세 명의 용사는 소리를 지르며 적진敵陣으로 뛰어들었다.

그러자 가짜 황제는 당황하기 시작했다. 이제 마지막 공격 신호 하나면 황제를 쓰러뜨릴 수 있다고 생각했는데, 갑자기 어디선가 나타난 세 명의 용사가 종횡무진으로 돌아다니며 자신의 군사를 무찔렀기 때문이다. 가짜 황제는 황제를 향한 공격을 멈추고 그 세 명의 용사에게 총공격을 하라고 명령했다. 세 명의 용사들은 멈칫했다.

적진(敵陣) : 적이 모여 있는 곳.

워낙 적군의 수가 많았기 때문이다.

한편, 메피스토펠레스는 계곡으로 가서 주문을 외웠다. 그러자 죽었던 군사들이 다시 살아났다. 이미 한 번 죽었던 자들이라서 세상에 무서운 게 없었다. 되살아난 군사들은 가짜 황제에게로 돌진했다. 이미 죽은 군사들이 돌진하고 있다는 소식을 들은 가짜 황제는 겁에 질렸다. 가짜 황제가 그 지경이니 부하들은 더 난리였다. 그 때를 틈타 세 용사들은 다시 칼을 휘두르며 기세를 올렸다.

죽은 사람을 살려서
다시 전쟁터에 내몰다니,
아무리 악마지만
벌받을 거야.

전세는 역전 되었다. 오히려 가짜 황제의 군사들이 파우스트와 메피스토펠레스의 군사들에게 포위되고 만 것이다. 메피스토펠레스는 미소를 지으며 물 잔을 들고 주문을 외웠다. 그리고 가짜 황제 쪽에다 물을 뿌렸다. 그러자 가짜 황제와 그의 군사들은 큰 해일이 덮치는 환상에 사로잡혔다. 이제 전쟁이 문제가 아니었다. 물에 빠져 죽지 않기 위해 그들은 칼과 방패를 버리고 모두 땅바

으아악!
하하하!
덤벼!
난 수영 못 해!
욱!
꽥!
맛 좀 봐라!
후후후. 내 부하들의 힘이 어떠냐?

닥에서 수영을 하기 시작했다.

막사 안에서 두려움에 떨던 황제는 이상한 소란에 밖을 내다보았다. 그러자 정말 웃긴 광경이 펼쳐지고 있었다. 가짜 황제와 그의 군사들이 모두 땅바닥에 엎드려 수영을 하고 있었기 때문이다.

"살려 줘! 난 수영 못 한단 말이야!"

"놔! 같이 죽긴 싫어!"

그 모습을 보고 황제는 지금까지의 고통도 까먹고 웃음을 터뜨렸다. 세 명의 용사勇士는 한창 헤엄을 치고 있는 가짜 황제를 잡아서 묶었다. 그러자 황제와 신하들은 모두 기뻐하며 그 용사를 칭송했다.

"저렇게 훌륭한 용사들이 또 있을까?"

"도대체 누구의 부하들이란 말인가."

그 때, 파우스트가 황제에게 다가가서 무릎을 꿇었다.

"죄송합니다, 황제 폐하. 제가 너무 늦었습니다."

용사(勇士) : 용기가 있는 사람. 전쟁 때 큰 능력을 보인 사람.

황제는 파우스트를 얼싸안았다.

"그대에게 고마움을 표하고 싶으니, 원하는 것이 있으면 말하라!"

그러자 파우스트는 잠시 생각을 하다 입을 열었다.

"제가 다스릴 수 있는 땅을 주십시오."

이봐, 황제!
지킬 수 없는 말은 하지 말든가.
이렇게 터무니없는 상을 내리는 게
어디 있어?

그 말에 황제의 얼굴이 굳어졌다. 땅은 자신만이 가져야 한다고 여겼기 때문이다. 하지만 황제는 자신이 뱉은 말을 어길 수 없었다. 그 때 시종이 다가와서 황제의 귀에 무슨 말인가를 속삭였다. 그러자 황제의 얼굴이 다시 밝아졌다. 황제는 짐짓 근엄하게 파우스트에게 명했다.

"짐이 네 소원을 들어주고 싶지만 큰 문제가 하나 있도다. 바로 지금 짐의 나라에 줄 만한 땅이 없다는 것이다. 대신 짐은 너에게 짐의 국가에 있는 가장 큰 해안선을 주겠노라. 네 능력이 그토록 대단하니 능히 수로 공사를 통해 그 바다를 땅으로 만들 수 있을 것이다. 그렇게 된다면 그 땅은 네가 가져라."

한 마디로 억지였다. 바다를 육지로 만들라니. 하지만 파우스트는 황제에게 감사 인사를 올리고 물러났다.

메피스토펠레스는 마법을 통해 모든 상황을 지켜보다가 돌아오는 파우스트를 붙잡고 물어 보았다.

"도대체 뭘 어쩌시려는 겁니까? 그런 공사는 제 힘으로도 꽤 오래 걸린다고요!"

하지만 파우스트는 묵묵히 짐을 쌌다. 그 해안海岸으로 곧 출발할 생각이었다.

황제의 나라 안에서 가장 넓은 해안선에 도착한 파우스트는 큰 숨을 내쉬었다.

"이제 곧 이 바다가 나의 백성들이 살 땅으로 변하리라."

메피스토펠레스는 곁에서 자신의 신세를

이거 간척 사업 아냐?
바다나 강에
둑을 쌓아 물을 막고,
둑 안의 물을 퍼내
땅을 만드는 일 말이야.

해안(海岸) : 육지와 바다가 닿은 곳. 바닷가.

한탄하고 있었다.

'괜한 내기를 했어. 그냥 지옥에서 놀고 있을걸. 이런 바보 같은 놈을 주인으로 모시다니. 아, 불쌍한 내 신세!'

메피스토펠레스의 한탄에도 아랑곳하지 않고 공사는 시작되었다. 파우스트는 황제에게 받은 돈과 메피스토펠레스의 보물을 가지고 인부들을 불러모았다. 처음에 인부들은 황당한 공사 이야기를 듣고 코웃음을 쳤지만 어마어마한 임금에 혹해서 몰려들었다. 파우스트는 수로 공사의 모든 설계도를 그려 메피스토펠레스에게 맡겼다. 메피스토펠레스는 졸지에 공사 현장 감독이 된 셈이었다.

몇십 년이 걸릴지도
모르는 공사를 하려 하다니!
파우스트는 도대체 무슨 생각을
하고 있는 걸까?

'내가 지금까지 훌륭한 다리를 만든 적은 몇 번 있었지만, 이렇게 큰 공사工事를 맡게 될 줄이야…….'

공사(工事) : 건물을 세우거나 땅을 만들기 위해 작업을 하는 것.

으흐, 내가 이런
공사를 담당하게
되다니!
메피스토펠레스,
잘 부탁하네.

메피스토펠레스는 현장에서 인부들을 데리고 작업을 시작했다. 처음에는 툴툴거렸지만 곧 악마의 낙천적 성격 탓에 콧노래까지 흥얼거렸다.

'그래, 이렇게 공사를 하다 보면 언젠가는 저놈도 죽겠지. 그 때 내가 하느님보다 먼저 저놈의 영혼을 가로채면 된단 말씀이야.'

유럽에는 옛날의 기술로는 도저히 만들 수 없을 만큼 정교하고 화려해서 '악마의 다리'라고 부르는 다리가 있대.

그런 생각을 하자 오히려 힘이 났다. 파우스트가 무슨 생각을 하는지는 상관 없었다. 그저 시간이 흐르기만 하면 되는 거였다.

한편, 파우스트는 깊은 생각에 잠겼다. 지금까지 자신이 했던 행동을 곰곰이 되새겨 보니, 모두 자신만을 위한 행동이었다. 이 세상의 모든 명예名譽와 지혜를 얻기 위해 필요한 행동이었지만 너무도 이기적

명예(名譽) : 세상에서 훌륭하다고 인정되는 이름이나 자랑, 또는 그런 품위.

이었다는 생각이 들었다. 이제 다른 사람을 위해 행동할 때라고 느꼈다. 파우스트는 다시 한 번 자신이 만든 설계도를 바라보았다.

'이 설계도가 나의 꿈을 이루어 줄 것이다!'

오랜 시간이 흘렀다. 인부의 아들들이 다시 인부가 되어 공사 현장에 들어왔다. 그리고 그 아들의 아들도 무럭무럭 커 가고 있었다. 하지만 아직도 공사는 끝나지 않고 있었다. 파우스트의 나이는 벌써 백 살에 가까웠다. 하지만 꼭 공사를 끝내야 한다는 생각에 파우스트는 정신을 놓지 않으려 애를 썼다.

그러던 어느 날 밤, 파우스트가 공사 설계도를 살펴보고 있을 때 한 여인이 소리 없이 들어왔다. 그 여인은 온몸과 얼굴에 망토를 두르고 있었다. 파우스트는 소스라치게 놀라서 소리쳤다.

"누구시오?"

여인은 무겁게 가라앉은 목소리로 말했다.

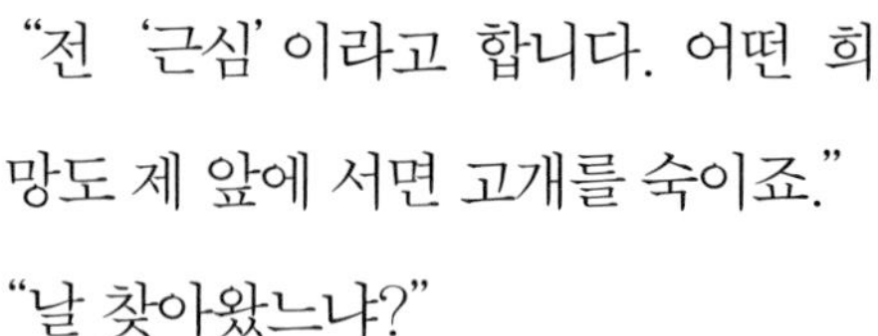
휴, 시간이 얼마나
지난 거야? 젊었던 파우스트가
다시 백 살이 되다니.
이제 곧 죽는 거 아니야?

"전 '근심'이라고 합니다. 어떤 희망도 제 앞에 서면 고개를 숙이죠."

"날 찾아왔느냐?"

근심은 시계를 들어 파우스트에게 보였다. 시계의 분침은 빠르게 돌아가고 있었다.

"이게 당신의 생명 시계랍니다. 이제 곧 태엽이 풀릴 때가 되었죠."

파우스트는 시계를 한참 바라보다가 고개를 돌렸다.

"그건 나도 익히 알고 있는 바이다."

"절 부정하지 마세요. 이제 제가 당신을 데리고 갈 때입니다."

"아직은 아니다. 아직은 아냐! 난 아직 이루지 못한 게 있어."

"누구나 그렇죠. 자신이 원하는 걸 모두 이루고 가는 사람은 없답니다."

근심은 손을 들어 파우스트의 얼굴을 어루만졌다. 그 손이 너무도 차가워 파우스트는 흠칫 놀랐다. 그런데 점점 자신의 눈이 어두워지는 게 아닌가. 파우스트의 눈이 먼 것이다. 근심은 마지막 한 마디를 남기고 사라졌다.

"사람은 모두 살아가는 동안 진실을 보지 못하는 장님으로 살죠. 파우스트, 이제 당신도 장님이 되었군요."

어둠이 파우스트를 휘감았다. 하지만 파우스트는 눈이 먼 상태에서도 벌떡 일어났다. 오히려 눈이 멀었기에 자신을 속박하던 것들이 없어진 느낌이었다.

"그래! 이제 나는 눈이 보이지 않는다. 그 동안 너무도 익숙하게 보이던 것들이 사라져 버리고, 오직 어둠만이 남았다. 하지만 근심이여, 너는 실수失手한 것이다. 눈앞에 보이던 것이 사라지고 나니, 이제 내 가슴 속에 있는 진실이 보인다. 그것도 더욱 또렷하게 말이다!"

몸의 눈이 감기면, 마음의
눈이 떠진다는 이야기가 있어.
파우스트도 장님이 되면서
마음의 눈을 뜬 모양이야.

실수(失手) : 부주의로 잘못을 저지르는 것.

나 근심이 당신에게서
눈을 가져갔지만,
오히려 당신은 진정한
무엇인가를 얻었군요.
그래! 이제 모든 사람이
행복해할 것이다.
그렇게 되면 '시간이여, 멈춰라!
이 순간은 참으로 아름답구나!'고
말할 것이다.
그래!
바로 그거야!

파우스트가 마음의 눈을
떴으니, 메피스토펠레스도 쉽게
영혼을 빼앗지는 못하겠는걸.

다음 날 아침 파우스트는 지팡이를 짚고 밖으로 나갔다. 공사를 한창 진행하던 메피스토펠레스는 그런 파우스트를 보고 남몰래 쾌재를 불렀다.

'드디어 눈까지 멀었군. 이제 곧 죽겠는걸?'

파우스트는 메피스토펠레스를 불러 공사가 얼마나 진척되었는지 물어 보았다.

"이제 곧 끝납니다."

파우스트는 보이지 않는 눈으로 공사 현장을 쳐다보았다.

"그 모습을 보았으면 좋으련만. 하지만 후회는 없다. 이 땅이 완성되고 나면 나는 내 백성들을 부를 것이다. 그들은 언제나 두려움에 떨겠지. 언제 제방이 무너질까, 큰 해일이 오면 어쩌나. 하지만 그 대가로 나의 백성들은 진정한 자유를 얻을 것이다. 이 땅은 나로 인해 만들어진, 누구도 속박하지 않는 자유로운 땅. 그러니 그 땅에 사는

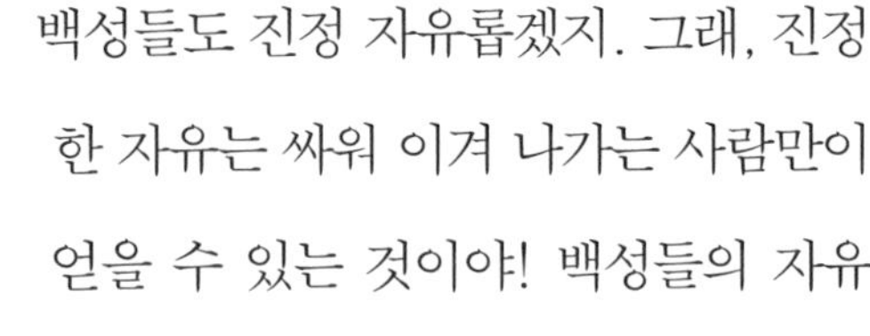
그렇지, 책임이 없는 자유는
방종에 불과해. 파우스트는
그걸 알고 있었던 거지.

백성들도 진정 자유롭겠지. 그래, 진정한 자유는 싸워 이겨 나가는 사람만이 얻을 수 있는 것이야! 백성들의 자유로운 모습을 본다면 나는 진정으로 외칠 수 있을 것이다. '시간이여, 멈춰라! 이 순간은 참으로 아름답구나!' 그렇게 내가 남겨 놓은 자유의 흔적은 절대 없어지지 않을 것이다. 나무는 심을 때가 어려울 뿐, 뿌리가 내리고 줄기가 자라면 절대 쓰러지지 않으니까. 아, 그 생각만으로도 진정 즐겁구나."

이 말을 끝으로 파우스트는 쓰러졌다.

천국으로 가는 파우스트

메피스토펠레스는 잠시 죽은 자에 대해 묵념을 했다. 하지만 그는 그 순간까지도 웃고 있었다.

"바보 같은 놈. 정말 즐거울 때는 불만이 가득 차 있더니, 마지막에 와서는 그런 황당무계한 말만 남기고 죽다니! 어쨌든 이제 계약의 마지막을 행동으로 옮길 때다."

메피스토펠레스가 주문을 외우자 지옥의 입구가 열렸다. 그 입구에선 불길이 뿜어져 나오고 용암鎔巖이 흘렀다. 온갖 괴물들의 소리도 함께 밖으로 새어 나왔다. 그 모습을 본 인부들은 연장을 버리고 도망치기 바빴다.

"그래, 도망가라! 이 겁쟁이들아! 이젠 내 인부들을 불러야겠군."

다시 주문을 외우자 작은 괴물들이 나와 인부들이 버리고 간 연장을 잡고는 파우스트의 무덤을 파기 시작했다. 메피스토펠레스는 어느 때보다 강하게 인부들을 독촉했다.

"빨리 하지 못할까! 이러다가 파우스트의 영혼이 도망가기라도 하는 날엔 너희들은 모두 사형이야!"

용암(鎔巖) : 화산이 분화할 때 분화구에서 분출한 마그마. 또는 그것이 굳어서 된 암석.

그 말을 들은 괴물들은 더욱 빨리 무덤을 팠다. 무덤이 만들어지자 괴물들은 파우스트의 시신屍身을 들고 무덤에 눕혔다. 그러고는 연신 손을 비비며 파우스트의 영혼이 나오기만을 기다렸다.

그런데 메피스토펠레스가
뭔가 빼먹고 있다는 생각이
드는데? 계약 조건이
있지 않았었나?

"영혼아, 어서 나오거라. 그러면 내가 바로 악마의 도장을 찍고 평생 널 내 종으로 만들어 버릴 테니. 지금까지 고생한 걸 생각하면 확 끄집어 내고 싶구나. 하지만 그러다 내 종의 영혼이 상할까 봐 말이야."

맞아, 파우스트는
그 말을 외치지도
않았는데.

드디어 파우스트의 영혼이 나오기 시작했다. 메피스토펠레스가 군침을 꿀꺽 삼키는데, 갑자기 하늘에서 강렬한 빛이 쏟아졌다. 불길한 예감을 느낀 메피스토펠레스는 위를 쳐

시신(屍身) : 죽은 사람의 몸.

다보았다. 하늘에서 천사들이 장미꽃을 손에 들고 내려오고 있었다.

“이것들이 내 종을 빼앗으려 오고 있구나. 더욱더 타올라라, 지옥의 불길이여! 부하들아! 저것들을 막아라!”

천사들을 향해 거센 불길이 치솟아 올랐다. 괴물들은 창을 들어 천사들이 내려오지 못하게 막았다. 하지만 천사들이 장미꽃을 뿌리자 불길은 사그라졌고 괴물들은 모두 녹아 내렸다. 메피스토펠레스는 마지막 힘을 다해서 쏟아지는 장미꽃을 뿌리쳤다.

하늘에서 천사들이
내려오는구나. 파우스트의
영혼을 구하려고 말이야.

“하느님! 어째서 제 일을 방해하시는 겁니까! 이건 공정하지 못하잖아요!”

그러자 하느님의 음성音聲이 들렸다.

음성(音聲) : 목소리나 말소리.

하느님,
파우스트를
데려가시려 하다니요!
이건 약속과 다르잖아요!
엄마야!

파우스트야.
오늘 나랑 천국으로
가자꾸나. 신나지?
파우스트!
저예요, 그레트헨.
허걱

"비록 파우스트는 처음에 욕망에 빠져 앞을 보지 못했지만, 이후에 모든 걸 깨닫고 다른 이들을 위해 노력하지 않았느냐. 노력하는 인간은 나도 당할 수가 없단다. 너도 그렇게 생각하지 않느냐?"

메피스토펠레스는 아무 말도 하지 못했다. 그저 분통憤痛만 터뜨릴 뿐이었다. 파우스트의 영혼은 이제 그 모습을 드러냈다. 그러자 파우스트를 데려가기 위해 내려온 천사 중 한 명이 소리쳤다.

아, 파우스트와
그레트헨이 다시 만났어.
역시 순수하고 착한 그녀는
천사가 되었구나.

"파우스트! 저예요. 그레트헨이에요!"

파우스트는 그 천사를 바라보았다. 비록 천사의 모습을 하고 있었지만 한눈에 알아볼 수 있었다. 자신이 그토록 사랑한 그레트헨이었다. 파우스트는 반가움과 미안함의 눈물을 흘렸다.

분통(憤痛): 몹시 분하여 마음이 쓰리고 아픔.

그레트헨은 파우스트에게 내려와서 그를 따뜻하게 감싸 주었다. 천사들은 둘을 데리고 하늘로 천천히 올라갔다.

메피스토펠레스는 그저 망연히 그 모습을 바라볼 뿐이었다.

PART 3

깊어지는 논점

천사도 악마도 함께
재미있는 논술 나라로 가는 거야!

깊어지는 논술

작품 소개

파우스트 (Faust)

괴테는 어렸을 때 '파우스트 전설'을 듣고 희곡으로 쓰겠다고 결심했어요. 그래서 1790년에 〈파우스트〉를 썼죠. 하지만 이건 지금의 〈파우스트〉는 아니었어요.

괴테는 그 후, 독일의 또 다른 유명한 작가인 쉴러와 이야기를 나누며 작품을 고쳤어요. 결국 1808년, 지금의 〈파우스트〉 중 제1부를 내죠. 그 후, 죽기 직전인 1831년 7월에 〈파우스트〉 제2부를 완성했고, 〈파우스트〉 제2부는 괴테가 죽은 후에 출판되었죠.

〈파우스트〉는 독일 문학에서 가장 위대한 작품 중 하나예요. 그리고 이 작품은 원래 희곡으로 쓰였어요. 희곡이란 연극을 위해 쓰인 대본이에요. 그래서 인물들의 대사가 시와 같아, 언어의 아름다움을 가장 잘 드러낸 작품이라고 할 수 있어요.

◀ 마지막에 구원을 받는 파우스트, 그는 무엇을 깨달았을까요?

요한 볼프강 폰 괴테
(Johann Wolfgang von Goethe, 1749~1832)

독일의 가장 위대한 작가 중 하나인 괴테는 '독일어를 완성시킨 작가'라고 합니다. 그만큼 작품 내에서 독일어를 완벽히 구사하여, 독일어의 아름다움을 전세계에 알린 작가죠. 괴테는 〈파우스트〉 말고도 많은 작품들을 남겼어요. 이루지 못하는 사랑을 그린 소설인 〈젊은 베르테르의 슬픔〉, 한 인물이 발전하는 모습을 그려 낸 〈빌헬름 마이스터의 도제 시대〉와 〈빌헬름 마이스터의 편력 시대〉는 아직까지도 많은 사람들의 사랑을 받고 있어요.

제 작품을 읽으면서
인생에 대해 진지하게
고민해 보세요.

◀ 괴테의 다른 작품인 〈젊은 베르테르의 슬픔〉도 읽어 보세요.

파우스트는 어떻게 구원받았을까요?

모두들 〈파우스트〉를 잘 읽었나요? 〈파우스트〉는 괴테가 60여 년간 혼신의 힘을 다해 쓴 작품이에요. 그만큼 작가의 생각이 깊게 들어가 있어요. 여러분은 〈파우스트〉를 읽고 무엇을 느꼈나요? 영원한 행복을 찾아 메피스토펠레스를 따라나선 파우스트의 긴 여행이 결국 성공적으로 끝났다고 생각하나요?

작품의 처음 부분에서, 하느님과 메피스토펠레스는 내기를 하죠. 대천사들이 그 이유를 궁금해 하자 하느님은 이렇게 대답합니다.

"사람은 언제나 편하게만 있으려 한단다. 그러면 진정 내 옆으로 올 사람들은 없어지지. 그래서 악마가 필요한 거란다. 사람을 일깨워 주는 존재로서 말이다."

그래요. 우리는 언제나 편하게만 살려고 해요. 악마는 그런 사람들을 유혹해서 결국 지옥으로 이끌어요. 그걸 본 다른 사람들은 편하게만 살려고 하면 안 되겠다고 생각하죠. 열심히 노력하는 사람에게는 악마가 나타나지 않을 테니까요.

파우스트는 독일에서 가장 유명한 박사랍니다. 파우스트는 옛날부터 전해져 내려온 모든 지혜을 알고 있지만 불행하다고 느껴요. 자신이 알고 있는 것이 모두 자기의 것이 아니라고 생각했기 때문이에요.

우리도 마찬가지예요. 학교에서 배운 것을 그저 외우기만 하면 재미가 없죠. 스스로 생각하지 않으면 그건 남의 것일 뿐이에요.

파우스트가 고민하고 있을 때, 메피스토펠레스가 나타나요. 메피스토펠레스는 파우스트에게 그런 고민은 다 집어치우고 지금 바로 느낄 수 있는 기쁨을 맛보자고 유혹해요. 나중에 일어날 일을 생각하지 않는 달콤한 유혹이죠.

내일이 시험인데 텔레비전에서 재미있는 프로그램을 할 때나, 달콤한 걸 먹으면 이가 썩는다고 알고 있지만 맛있는 초콜릿이 먹고 싶을 때에, 우리는 나중의 일을 잊곤 해요. 곧 후회할 걸 알면서도 말이에요. 파우스트도 결국 나중을 생각하지 않고 악마와 계약을 합니다.

메피스토펠레스는 파우스트에게 젊음을 되찾아 줘요. 파우스트는 젊음의 행복을 맛보고 사랑에도 빠지게 되죠. 파우스트는 사랑을 얻기 위해 보석으로 그레트헨을 유혹합니다. 그러나 파우스트의 행동은 결국 자신뿐 아니라 그레트헨까지 위험에 빠뜨립니다.

그 후에도 파우스트는 황제의 궁전에서 지폐를 만들어 명예를 얻기도 하고, 역사상 가장 아름다운 미녀인 헬레나와 결혼해서 행복한 삶을 살기도 합니다. 하지만 마찬가지로 결국 명예는 사라지고 다시 불행해지죠.

이렇게 행복과 불행이 교차하는 삶을 살던 파우스트는 결국 깨달아요. 모두가 행복해지기 위한 삶을 살지 않으면 자신은 언제까지나 불행할 수밖에 없다는 걸요. 그래서 파우스트는 메피스토펠레스에게 마지막 명령을 하죠. 바다를 막아 땅을 만들어 진정 자유로운 나라를 만들라고요.

그 일은 너무도 거대한 일이어서 파우스트가 죽을 때까지 끝나지 않아요. 하지만 언젠가는 결실을 맺을 수 있겠죠. 파우스트가 죽더라도, 그의 생각을 이해하고 그의 일을 이어받으려는 사람이 있을 테니 말이에요.

파우스트는 그 일을 하면서 진정한 행복을 알게 됩니다. 눈이 멀어도, 자신이 굳게 믿고 있는 꿈과 목표는 가슴 속에서 보이게 마련이니까요. 그래서 파우스트는 결국 구원을 받아요. 마지막 순간에는 다 함께 행복해질 수 있는 일을 위해 노력했거든요.

많은 사람들이 행복해지기 위해 욕심을 부려요. 재물을 모으거나, 지식을 쌓고, 명예를 얻으려고 노력하지요. 눈에 보이는 풍부함이 곧 행복이라는 논리는 악마의 생각과 비슷해요.

그러나 모든 것을 다 가져도 여전히 욕심은 끝없이 생기고, 행복은 멀어져 간답니다. 여러분은 파우스트를 읽으면서 행복을 위해 가진 것을 비우는 법을 알게 되었나요?

파우스트를 만난 건 행운이었어. 앞으로 좀 더 남을 위해 살아야겠다는 생각이 들어!
그래, 나뿐만 아니라 다른 사람도 즐거워야 모두 행복해질 수 있을 거야!

PART 4

PART 4 PART 4
PART 4 PART 4 PART 4
PART 4 PART 4 PART 4 PART 4
PART 4 PART 4 PART 4 PART 4 PART 4
PART 4 PART 4 PART 4 PART 4 PART 4 PART 4
PART 4 PART 4 PART 4 PART 4 PART 4
PART 4 PART 4 PART 4 PART 4
PART 4 PART 4 PART 4
PART 4 PART 4

논술 워크북

논술 워크북

1-1 파우스트는 모든 사람이 존경하는 훌륭한 학자입니다. 평범한 사람들의 눈에는 파우스트만큼 행복한 사람은 없어 보입니다. 그런데 파우스트 자신은 스스로의 삶이 불행하다고 생각합니다. 왜 그런 생각을 하게 되었을까요?

1-2 파우스트는 악마 메피스토펠레스의 유혹에 넘어갑니다. 그렇지만 하느님은 악마와의 약속에도 불구하고 파우스트를 구원해 줍니다. 그 이유는 무엇일까요?

HINT

제1장에서 파우스트가 자신의 서재에서 고뇌하던 모습을 떠올리면서 그의 고민을 말해 보세요.
또한 제6장에서 죽은 파우스트의 영혼을 천국으로 데려가려 할 때 하느님이 메피스토펠레스에게 이야기한 내용을 다시 한 번 읽고 말해 보세요.

2 하느님은 악마 메피스토펠레스와 내기를 한 이유를 천사에게 말합니다. "사람은 언제나 편하게만 있으려 한단다. 그러면 진정 내 옆으로 올 사람들은 없어지지. 그래서 악마가 필요한 거란다. 사람을 일깨워 주는 존재로서 말이다." 사람에게 악마가 필요한 이유를 설명해 보세요.

HINT

우리를 유혹하면서 끊임없이 악으로 이끄는 악마가 우리에게 왜 필요할까요? '사람들은 언제나 편하게 있으려 한다.'는 하느님의 말씀이나 '악마는 사람을 일깨워 주는 존재'라는 말의 의미는 무엇일까요?

3 파우스트는 악마 메피스토펠레스에게 묻습니다. "정말 내가 원하는 모든 걸 해 줄 능력이 있는가? 매일 먹어도 질리지 않는 음식이 있는가? 신이 가질 수 있는 힘과 명예를 나에게 줄 수 있단 말인가? 시간이 지나면 지날수록 더욱 푸르러지는 나무를 내 정원에 심을 수 있단 말인가?" 악마 메피스토펠레스는 그렇게 해 줄 수 있다고 대답합니다. 만약 우리에게도 이런 능력이 있다면, 어떻게 사용할 것인지 생각해 보세요.

HINT

모든 것을 할 수 있는 능력이 있다면, 제일 먼저 무엇을 하고 싶은가요? 내가 소망하는 대로 모든 것이 이루어진다면 과연 행복할까요? 여러 가지 가능성을 갖고 생각해 보세요.

4 인간은 이기적인 존재일까요? 아니면 도덕적으로 행동하고 다른 사람들을 위해 사는 이타적인 존재일까요?
인간은 자기 이익이나 즐거움만을 추구하는 이기적 존재라는 주장과 근거를 구성해 보세요.
혹은 인간은 자기 이익이나 쾌락을 위해 행동하는 존재가 아니라, 도덕적으로 올바르게 살기 위해 노력하는 이타적인 존재라는 주장과 근거를 구성해 보세요.

〈보기〉

주장 1 인간은 자신의 이익만을 추구하는 이기적 존재이다.
주장 2 인간은 다른 사람을 위하는 이타적 존재이다.

- **나의 주장** :

- **주장에 대한 이유** :

HINT

맹자(孟子)는 '사람이 원래 착하다.' 고 주장했습니다. 어린아이가 우물에 빠지려고 할 때, 사람들은 어떤 이익이나 칭찬을 위해 어린아이를 구해 주는 것이 아닙니다. 사람은 이런 착한 본성에도 불구하고 나쁜 일을 합니다. 맹자는 그 이유를 주위 환경 때문이라고 주장했습니다.

5 파우스트는 지금까지 자신이 했던 행동을 반성하면서 다음처럼 생각합니다.

파우스트는 수로 공사의 모든 설계도를 그려 메피스토펠레스에게 맡겼다. 메피스토펠레스는 졸지에 공사 현장 감독이 된 셈이었다.

……(중략)……

한편, 파우스트는 깊은 생각에 잠겼다. 지금까지 자신이 했던 행동을 곰곰이 되새겨 보니, 모두 자신만을 위한 행동이었다. 이 세상의 모든 명예와 지혜를 얻기 위해 필요한 행동이었지만 너무도 이기적이었다는 생각이 들었다. 이제 다른 사람을 위해 행동할 때라고 느꼈다. 파우스트는 다시 한 번 자신이 만든 설계도를 바라보았다.

'이 설계도가 나의 꿈을 이루어 줄 것이다!'

자신만 생각하는 사람을 이기적인 사람이라고 합니다. 반면 남을 생각하고 남을 위해 행동하는 사람을 이타적인 사람이라고 합니다. 삶을 제대로 살기 위해서는 이기적으로 살아야 할까요, 이타적으로 살아야 할까요? 다음 두 가지 주장을 보고 한 가지를 선택하여 논술해 보세요.

〈보기〉

주장 1 이기적으로 살아야 잘 살 수 있다.

주장 2 이타적으로 살아야 잘 살 수 있다.

- **나의 주장 :**

- **주장에 대한 이유 :**

6 다 쓴 글을 친구나 부모님 앞에서 발표해 보세요. 그리고 듣는 사람이 고개를 끄덕이는지 아니면 고개를 갸우뚱하는지 반응도 살펴보세요. 발표가 끝난 후 평가도 부탁해 보세요.

가이드북

GUIDE BOOK

〈파우스트〉에 대하여

파우스트 전설은 서유럽에서 가장 오랫동안 전해 내려오는 전설 가운데 하나입니다. 괴테는 1789년 프랑스 혁명으로 인한 격동의 시기에 〈파우스트〉를 쓰기 시작했습니다. 이전의 파우스트 전설과 파우스트 문학이 파우스트의 저주와 악행에 초점을 맞춘 반면, 괴테의 〈파우스트〉는 파우스트가 저주스러운 삶의 끝에 속죄를 통한 구원을 얻은 것에 중점을 두었습니다.

〈파우스트〉에 나오는 파우스트 박사의 모델은 중세 시대 철학자인 알베르투스 마그누스입니다. 그는 유명한 신학자이자 철학자인 토마스 아퀴나스의 스승입니다. 모든 것을 다 아는 학자의 대명사로서의 파우스트가 중세 시대에 가장 유명한 학자 중의 한 사람을 모델로 하여 따왔다는 사실이 의미심장합니다.

괴테 이후 다른 작가들이 파우스트를 다양한 각도에서 다루어 보고자 했지만, 어느 누구도 괴테의 〈파우스트〉를 뛰어넘는 작품을 쓰지 못했습니다.

작품의 전체 줄거리

악마 메피스토펠레스는 파우스트를 놓고 하느님과 내기를 합니다. 메피스토펠레스는 파우스트에게 모든 즐거움을 맛볼 수 있도록 자신이 이승에서 종 노릇을 할 테니 저승에서 자신의 종이 되어 달라고 제안합니다. 파우스트는 그 제안을 받아들입니다.

메피스토펠레스의 힘으로 젊음을 되찾은 파우스트는 그레트헨과 사랑에 빠집니다. 그러나 파우스트는 그레트헨의 오빠 발렌틴을 죽이게 되고, 그레트헨은 감옥에 갇힌 채 미쳐서 죽지만 구원을 받습니다.

이어서 파우스트는 왕궁으로 가서 어려운 문제를 해결하고, 그리스 시대로 돌아가 세기의 미녀 헬레나와 결혼을 하기도 합니다.

또한 파우스트는 메피스토펠레스의 도움으로 황제의 싸움을 승리로 이끕니다. 그 은공으로 파우스트는 넓은 해안선을 받습니다.

이후, 파우스트는 메피스토펠레스의 도움으로 간척 사업을 시작합니다. 간척 사업을 하면서 파우스트는 이기적으로 살아온 지난날을 후회하고, 남을 위해 사는 삶이 중요하다는 것을 깨닫습니다. 그리고 공사가 거의 끝나갈 무렵 파우스트는 숨을 거둡니다.

악마 메피스토펠레스는 파우스트의 영혼을 가로채 자기의 노예로 삼으려고 하지만, 하느님의 방해로 그 뜻을 이루지 못합니다. 구원을 받은 파우스트는 천사가 된 그레트헨을 만나 하늘로 올라갑니다.

〈파우스트〉의 의미

〈파우스트〉는 인간에게 삶의 진정한 가치에 대해 보여 줍니다. 방대한 지식도 파우스트를 행복하게 만들지 못합니다. 젊음도 영원하지 않고, 여인과의 사랑도 결국 비극으로 끝나 버립니다. 그 어떤 것도 삶의 진정한 가치라고 할 수 없습니다. 현실 세계에서 우리가 누릴 수 있는 향락적 즐거움은 결국 일시적인 것에 불과하기 때문입니다.

이 작품은 유혹을 견디면서 다른 사람들을 위해 실천하고 노력하는 사람이야말로 진정한 행복을 찾은 사람이라고 이야기하고 있습니다. 또한 인간은 비록 불완전하지만, 남을 위해 살면서 삶의 진정한 가치를 찾을 때에 비로소 구원을 받을 수 있음을 보여 줍니다.

1-1 사고 영역 _ 사실적 이해

본문의 핵심적 내용을 잘 이해했는지 알아보기 위한 문제입니다. 1장을 잘 읽고, 답을 생각해야 합니다.

파우스트는 모든 사람이 존경하는 훌륭한 학자였지만, 자신이 하고 있는 일이 어떤 의미와 가치를 지닌 것인지 확신하지 못합니다. 따라서 그는 자기가 잘못 살아온 것은 아닌지 고민합니다. 그리고 자신이 지닌 지식이 어떤 가치와 유용성이 있는지 확신하지 못하고, 현실에 너무 무관심하지 않았는지 반성하지요. 파우스트는 이러한 의문과 반성 속에서 자신의 삶이 가치가 없다고 여기고 불행에 빠집니다. 결국 파우스트는 자신의 삶에 대한 진정한 가치를 모르기 때문에 불행하다고 생각한 것입니다.

CHECKPOINT

자신이 하고 있는 일의 의미와 가치에 대한 확신이 없을 때, 우리 인간은 불행해집니다.

1-2 사고 영역 _ 사실적 이해

6장의 내용과 파우스트의 행동 변화를 참고하여 답을 적어야 합니다.

악마 메피스토펠레스가 죽은 파우스트의 영혼을 가져가려고 할 때, 하느님이 나타나 방해합니다. 메피스토펠레스의 항의에 하느님은 다음처럼 말합니다. "비록 파우스트는 처음에 욕망에 빠져 앞을 보지 못했지만, 이후에 모든 걸 깨닫고 다른 이들을 위해 노력하지 않았느냐. 노력하는 인간은 나도 당할 수가 없단다. 너도 그렇게 생각하지 않느냐?"

비록 한때, 욕망에 빠져 이기적으로 살았다고 해도, 그 잘못을 뉘우치고 다른 사람들을 위해 이타적으로 산다면 그 동안의 잘못은 용서받을 수 있을 것입니다. 하느님도 파우스트가 보여 준 이런 행동 때문에 그의 영혼을 구원해 주었습니다.

CHECKPOINT

파우스트는 악마 메피스토펠레스의 힘을 빌어 일어나는 다양한 사건을 통해 자기 삶의 진정한 의미와 가치를 찾으려고 합니다. 결국 파우스트는 자신이 지닌 지식과 능력을 이용하여 다른 사람들의 행복을 위해 노력하면서 참다운 기쁨을 맛봅니다. 진정한 인간은 다른 사람의 행복을 위해 행동하고, 그것을 위해 끊임없이 노력하는 존재입니다.

2 사고 영역 _ 비판적 사고

어떤 주장과 그 이유에 대해서 논리적으로 생각해 보는 문제입니다. 악마가 필요한 이유에 대해 출제 의도를 파악하여 생각해야 합니다.

우리 안에 있는 나쁜 마음, 사악함, 이기심, 탐욕 등을 악마라고 할 수 있습니다. 악마는 우리가 그러한 마음을 먹고, 그대로 행동하게 만듭니다. 그러나 진정한 인간은 비록 악마의 유혹에 한 번 넘어갔다고 하더라도, 결국 악마의 유혹을 극복함으로써 자기 삶의 진정한 가치를 깨달을 수 있지요.

이것은 마치 파우스트가 악마의 유혹에 넘어갔지만, 마침내 자신의 생각이 잘못이었음을 인정하고 진정으로 가치 있는 삶을 찾아 낸 것과 마찬가지입니다.

파우스트는 처음에 악마에게 넘어가 인생을 탕진합니다. 파우스트는 젊음을 되찾고 사랑도 하지만, 그 결과는 연인의 죽음으로 이어졌습니다. 또다른 여인과 만나 사랑을 하고 자식도 낳지만 그녀도 파우스트의 곁을 떠났고, 파우스트를 행복하게 만들어 주지는 못했지요.

그렇게 긴 인생을 다시 살면서 파우스트는 여러 가지 감정을 느끼고 자신을 위해 살지만 그의 삶은 결코 행복하지 않았습니다. 결국 그는 죽음이 가까워 왔을 때야 진짜 중요한 것이 무엇인지 깨닫게 됩니다. 파우스트는 눈도 멀고 삶의 고통을 느끼지만 다른 사람들을 위해 끝까지 노력합니다. 파우스트의 그런 모습을 본 하느님은 결국 파우스트를 구원합니다. 이로써 악마의 계획은 무산되고 말지요.

보통 인간들도 파우스트처럼 살면서 종종 악마의 유혹에 넘어가 잘못된 일을 저지릅니다. 그러나 인간은 스스로 생각하고 행동할 수 있는 존재입니다. 그래서 악마의 유혹에 넘어가 잘못을 저지를 수는 있지만 인간이기에 스스로 반성하고 변화할 수 있지요.

또한 온갖 악마의 유혹을 이겨 내고 얻은 행복이야말로 진정한 행복이라고 할 수 있습니다. 파우스트처럼 악마의 유혹에 넘어가 삶을 탕진해 본 사람은 그런 삶이 결코 행복한 삶이 아니라는 걸 깨닫고 진정으로 행복한 삶을 위해 더욱 노력할 것입니다.

이처럼 악마는 인간을 괴롭히는 존재이지만, 인간에게 진정한 삶의 가치를 깨닫게 해 주는 존재이기도 합니다.

CHECKPOINT

하느님은 우리로 하여금 언제나 옳은 것을 선택하도록 명령하는 것이 아니라, 우리 스스로 온갖 유혹을 이겨 내면서 진정 옳은 것을 선택하도록 합니다.

3 사고 영역 _ 창의적 사고

신과 같이 전지전능한 능력을 지니게 된다면 어떨지 상상하고 조리 있게 답변해야 합니다.

무엇이든 할 수 있다고 해서 다른 사람들에게 피해를 주는 행동을 하는 것은 올바르지 않습니다. 그리고 자신은 아무런 노력을 하지 않고 다른 사람들만 노력하게 만든다거나 자신은 가만히 놀고먹기만 하려는 생각은 건전한 생각이 아닙니다.

다음과 같은 생각은 출제 의도에 부합하다고 할 수 있습니다.

만약 우리가 모든 것을 성취할 수 있는 능력이 있다면, 참으로 좋을 것 같다. 그냥 원하기만 해도 우리는 원하는 것을 이룰 수 있을 테니 말이다. 우리는 종종 그러한 상상을 한다. 그러나 어떤 목적을 위해 노력하는 과정에서 생길 수 있는 즐거움과 성취감이 사라져 버린다는 것을 잊어서는 안 된다. 우리의 진정한 행복은 어려움과 고통을 이겨 내면서 자신이 진정으로 원하는 것을 성취할 때 생긴다. 원하는 것을 이루어 낸 결과도 중요하지만, 결과만큼 중요한 것이 그것을 이루기 위해 우리가 혼신을 다하는 노력과 과정이다.

만약 만인이 부러워하는 자리를 거저 얻는다면, 누구도 그 자리에 앉은 사람을 존경하지 않을 것이다. 또한 노력 없이 얻은 자리는 절대 명예로울 수도 없다. 진정으로 명예로운 자리는 그것을 얻기 위한 땀과 눈물 덕에 빛나는 것임을 명심해야 한다.

CHECKPOINT

어떤 것을 노력하여 성취할 때, 우리에게 일어나는 즐거움이 얼마나 소중한지 표현할 수 있으면 됩니다. 또 요행에 의해서 쉽게 일을 완성했을 때와 자신의 힘든 노력을 통해 일을 완성했을 때를 비교해 보는 것도 좋은 방법입니다.

4 사고 영역 _ 논리적 사고

어떤 주장에 대해서 근거를 제시할 수 있는 능력을 키우는 문제입니다. 그 주장을 뒷받침해 주는 근거가 타당하고 적절해야 하는 것이 무엇보다 중요합니다.

다음의 예시 답안을 참조하면 생각하는 데 도움이 될 것입니다.

나의 주장 : 인간은 자신의 이익만을 추구하는 이기적 존재이다.

주장에 대한 이유 : 인간은 이기적 존재이다. 왜냐하면 인간은 자기 욕망의 충족에 따라 움직이기 때문이다. 인간이 얻고자 하는 것은 제한되어 있기 때문에 내 욕망을 이루기 위해서는 반드시 타인의 욕망을 무시해야 하고, 타인과의 경쟁에서도 이겨야만 한다. 인간은 자신의 욕망을 채우며 살기 위해 타인의 행복이 아니라 자신의 이익만을 생각할 수밖에 없다.

나의 주장 : 인간은 다른 사람을 위하는 이타적 존재이다.

주장에 대한 이유 : 인간은 이타적이며, 도덕적 존재이다. 가령 우물에 빠진 어린아이를 구해 주는 경우에 우리는 어떤 개인적 이익이나 칭찬을 받기 위해서 그렇게 하는 것이 아니기 때문이다. '구하다가 내가 죽으면 어쩌지?' 와 같은 생각을 한다면 기꺼이 아이를 구할 수

없을 것이다. 우리는 그 어린아이를 구해 줄 수밖에 없는 어떤 마음에 따라서 그런 행동을 한다.

또한 자신의 이익을 포기하고 기꺼이 다른 사람의 행복을 위해 행동하기도 한다. 그것은 어떤 경우에 있어 내 이익을 추구하는 것보다 다른 사람의 행복을 위해 행동하는 것이 옳다는 것을 알기 때문이다. 이런 점에서 인간인 본질적으로 도덕적인 존재라고 할 수 있다.

CHECKPOINT

주장에 대한 적절한 근거가 제시되었는지를 확인해야 합니다. 만약 인간이 이기적이라고 생각한다면 왜 그런 생각을 하는지 곰곰이 따져 봅시다. 마찬가지로 인간의 본성이 착하다고 주장하는 사람들의 근거는 무엇인지도 생각해 봅시다.

5 사고 영역 _ 논리적 사고

자신의 주장에 대해서 합당한 근거를 마련하는 것이 가장 중요합니다. 논술에는 어떤 정답이 없습니다. 정해진 주장을 해야 하는 것이 아니라 자신만의 생각을 얼마나 합리적이고 조리 있게 표현하느냐가 중요합니다.

자기 자신의 이익이나 행복만을 위해 행동하는 것이 아니라 다른 사람들의 생명과 행복을 위해 행동하는 것은 인간의 올바른 삶을 위해 매우 중요합니다. 그것이 중요한 이유는 다음과 같습니다.

첫째, 인간은 혼자 사는 존재가 아니다. 우리는 다른 사람과 함께 살 수밖에 없는 사회적 존재이다. 인간이 사회적 존재라는 것은 언젠가 내가 다른 사람의 도움을 받을 수 있는 것과 마찬가지로, 내가 다른 사람들을 배려하고 도움을 주어야 한다는 것을 의미한다.

그렇지 않다면 인간의 사회는 동물의 세계와 마찬가지로 되어 버릴 것이다. 동물은 약육강식이라는 밀림의 법칙의 지배를 받지만, 인간은 밀림의 법칙에서 벗어나 사회에서 살아가야 하는 존엄한 존재이다.

둘째, 인간은 모두 스스로 존엄성을 갖고 있다. 그런데 만약 내가 이기적으로 산다면, 다른 사람들은 내 이익을 위한 도구나 수단이 될 것이다. 다른 인간을 내 이익을 위한 수단이나 도구로 간주하는 것은 다른 인간이 지닌 존엄성을 무시하는 행동이 된다. 나의 존엄성을 지키기 위해서는 다른 사람의 존엄성 또한 존중해 주어야 한다.

셋째, 내 자신의 이익이나 행복만을 위해 사는 것이 우리에게 많은 이익을 주는 것처럼 보인다. 그러나 장기적으로 볼 때 다른 사람을 돕고 배려해 주는 것이 우리 자신에게 더 많은 이익을 가져다 준다.

가령 다른 사람을 속여서 어떤 이익을 얻는 것은 그 때뿐이고, 결국에는 사기꾼이라는 오명을 얻게 될 것이다. 반면에 타인과의 신용을 잘 쌓는다면 결국 더 많은 이익을 얻을 수 있다.

CHECKPOINT

논술은 논증적 글쓰기입니다. 따라서 글에는 반드시 논증이 제시되어 있어야 합니다. 어떤 문제에 대해서 자기 주장을 해 보고, 그 주장에 대한 근거들을 제시하는 논리적인 과정이 매우 중요합니다.

다음은 논술 5단계 문제에 대한 예시답안입니다. 지도에 참고하시기 바랍니다.

나의 주장 : 다른 사람을 사랑하고 배려해야 한다.

우리는 아주 쉽게 자기의 행복과 이익을 위해 사는 것이 중요하다고 생각한다. 그러나 때로 나의 행복은 다른 사람의 행복을 위협하기도 한다. 또 내가 지금 느끼는 즐거움은 영원히 계속되는 것이 아니다. 우리는 순간적으로 어떤 것에 만족하기도 하고 좋아하기도 하지만, 싫증을 느끼면 곧 새로운 만족과 즐거움을 찾기 때문이다.

인간은 사회적 존재이다. 우리는 혼자 살 수 없다. 내가 살고 있다는 것은 이미 다른 사람의 많은 도움을 필요로 한다는 것을 의미한다. 내가 입고 있는 옷은 다른 사람의 성실한 노동의 결과이다. 농부의 수고가 없었다면, 내가 먹고 있는 음식은 있을 수가 없다. 이처럼 내가 다른 사람의 도움과 배려를 받기 때문에 나도 당연히 다른 사람들을 배려하고 도움을 주어야 한다. 인간이 사회를 이루며 살 수밖에 없기 때문에, 우리가 다른 사람을 도와 주는 것은 당연한 일이다.

동물의 세계는 강한 동물이 약한 동물을 잡아먹는 양육강식의 세계이다. 하지만 인간은 이런 동물과는 다르다. 우리는 약한 사람들을 도와 주고, 강한 사람이 약한 사람을 부당하게 괴롭힐 때 저항한다.

인간은 모두 존엄성을 갖고 있다. 내가 다른 사람들을 도와 줌으로써 다른 사람들의 존엄성을 지켜 준다. 이것은 또한 내가 지니고 있는 존엄성을 지키는 길이다. 다른 사람의 행복을 생각하며 살 때 인간은 진짜 행복을 느낄 수 있기 때문이다.

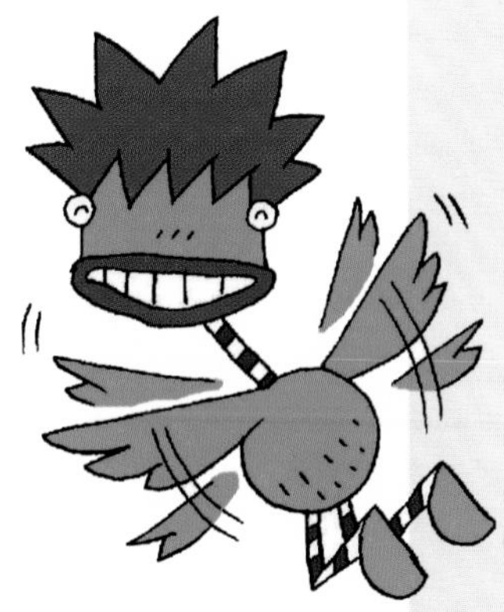
행복은
가까운 데 있는 법!
이제 <파랑새>를 만나러
떠나요.

1 동물농장
2 걸리버 여행기
3 좁은문
4 돈 키호테
5 죄와 벌
6 정글북
7 지킬 박사와 하이드
8 전쟁과 평화
9 지구에서 달까지
10 허클베리 핀의 모험
11 비밀의 화원
12 이상한 나라의 앨리스
13 아큐정전
14 변신
22 피터 팬
23 위대한 개츠비
24 닐스의 이상한 모험
25 오만과 편견
26 로빈슨 크루소
27 홍당무
28 타임머신
29 파우스트
얘들아!
내 파랑새
정말 귀엽지?

15 레미제라블
16 어머니
17 오즈의 마법사
18 허풍선이 남작의 모험
19 도련님
20 제인 에어
21 올리버 트위스트
워워워. 진정하라고. 파랑새는 행복의 새야. 조심조심 다뤄야지.
와아! 나도 새 한 마리 갖고 싶다! 잡으러 가잣!
와아! 파랑새를 만나면 행복해지는 거야? 신난다~!
논술명작 30
파랑새